Brava gente
A trajetória do MST e a luta pela terra no Brasil

Dados Internacionais de Catalogação-na-Publicação (CIP)

S812b Stedile, João Pedro, 1953-
   Brava gente: a trajetória do MST e a luta pela terra no Brasil. / João Pedro Stedile, Bernardo Mançano Fernandes. —2.ed.—São Paulo : Expressão Popular, coedição Fundação Perseu Abramo, 2012.
   168p.

   Indexado em GeoDados - http://www.geodados.uem.br
   ISBN 978-85-7743-204-2 - Editora Expressão Popular
   ISBN 978-85-7643-141-1 - Editora Perseu Abramo

   1. Trabalhadores rurais - Brasil. 2. Assentamentos humanos - Brasil. 3. Movimentos sociais - Brasil. 4. Movimento dos Trabalhadores Rurais sem Terra - Brasil. I. Fernandes, Bernardo Mançano. II. Título.

   CDD 303.4840981

Eliane M. S. Jovanovich CRB 9/1250

Brava gente
A trajetória do MST e a luta pela terra no Brasil

João Pedro Stedile
Bernardo Mançano Fernandes

2ª edição
São Paulo • 2012

EDITORA FUNDAÇÃO
PERSEU ABRAMO

expressão
POPULAR

copyright@ João Pedro Stedile e Bernardo Marçano Fernandes

Fundação Perseu Abramo
Instituída pelo Diretório Nacional
do Partido dos Trabalhadores
em maio de 1996.

Editora Fundação Perseu Abramo

Diretoria
Presidente: Paulo Okamotto
Vice-presidente: Brenno Cesar Gomes de Almeida
Elen Coutinho, Monica Valente, Naiara Raiol, Alberto Cantalice, Alexandre Macedo de Oliveira,
Carlos Henrique Árabe, Jorge Bittar, Valter Pomar

Conselho editorial
Albino Rubim, Alice Ruiz, André Singer, Clarisse Paradis, Conceição Evaristo, Dainis Karepovs,
Emir Sader, Hamilton Pereira, Laís Abramo, Lincoln Secco, Luiz Dulci, Macaé Evaristo, Marcio Meira,
Maria Rita Kehl, Marisa Midori, Rita Sipahi, Tassia Rabelo, Valter Silvério

Diretor responsável pela editora
Carlos Henrique Árabe

Coordenador editorial
Rogério Chaves

Assistente editorial
Raquel Costa

Equipe de revisão
Angélica Ramacciotti
Claudia Andreoti

1ª edição: agosto de 1999
2ª edição: agosto de 2012
3ª reimpressão: julho de 2025

Editora Fundação Perseu Abramo
Rua Francisco Cruz, 224 – Vila Mariana
04117-091 São Paulo – SP
Telefone: (11) 5571-4299
Fax: (11) 5571-0910
Correio eletrônico: editora@fpabramo.org.br

Editora Expressão Popular
Alameda Nothmann, 806
Sala 06 e 08, térreo, complemento 816
01216-001 – Campos Elíseos – SP
livraria@expressaopopular.com.br
www.expressaopopular.com.br
ed.expressaopopular
editoraexpressaopopular

Sumário

Nota dos editores	7
Prefácio	9
Apresentação	13
Raízes	17
Características e princípios	33
Aprendizado	59
Governo: dos militares a Itamar	67
Educação	75
Organização	83
Instâncias	89
Produção e cooperação agrícola	97
Ocupação	115
Solidariedade e desenvolvimento	125
Mística	131
FHC: contra a reforma agrária	141
A Marcha	151
A reforma agrária	159
Bibliografia sobre a reforma agrária e o MST	167

Nota dos editores

É longa a trajetória do livro "Brava Gente". Sua primeira edição foi pensada no final dos anos 1990 e lançada em 2000, pela Editora Fundação Perseu Abramo.

Registrou, como poucas publicações da época, as origens e motivação da luta dos trabalhadores no Brasil durante o século XX, desde as Ligas Camponesas até a criação do Movimento dos Trabalhadores Rurais Sem Terra (MST), em 1984, no contexto das batalhas contra a ditadura civil-militar que assolou o país (1964-1985).

O livro é fruto de longa entrevista de João Pedro Stedile, membro da coordenação nacional do MST, oferecida ao geógrafo, professor e pesquisador Bernardo Mançano Fernandes (Unesp, campus de Presidente Prudente).

Passados 12 anos da primeira edição de "Brava Gente", com mais de 10 mil exemplares vendidos, a questão da terra permanece na pauta política econômica e social do país; o campo ainda é cenário de injustiça, com bárbaros assassinatos de trabalhadores e lideranças; por fim, a luta dos movimentos sociais organizados no campo ainda é necessária.

Todas essas questões, somada a importância histórica da entrevista com Stedile, são os motivos desta nova edição, em coedição com a Expressão Popular. Os editores almejam potencializar forças a fim de atingir cada vez mais leitores interessados em conhecer a história de seu país.

Prefácio

"Viva o MST!" Quando o país escutou este grito, proferido até a morte por um jovem agonizante esmagado a pancadas pela polícia, em Eldorado do Carajás (PA), muita gente se encheu de profundo respeito por este fenômeno chamado MST.

O mesmo se deu no final da Marcha de mais de mil quilômetros a pé até Brasília, em abril de 1997. Naquele dia ninguém estava reparando no estado dos pés de ninguém. Ao contrário, todo mundo se deixou contagiar pelo impressionante entusiasmo daquela massa de novos peregrinos.

Aqui está, a seguir, uma importante entrevista, dirigida por Bernardo Mançano Fernandes, com João Pedro Stedile, sobre a história do Movimento dos Trabalhadores Rurais Sem Terra (MST) no Brasil, de 1979 a 1997.

Ao percorrer estas páginas, tive a nítida sensação de estar realizando uma caminhada semelhante àquela para Brasília, na qual você não vê o tempo passar, pois a cada passo que dá vai se envolvendo cada vez mais num diálogo dos mais vivos e interessantes.

Aí vai aparecendo, como num filme, o retrato de corpo inteiro do Movimento, sem preocupação de sistematização, nem de elaboração teórica, mas objetivando simplesmente contar a sua tumultuada história, de maneira objetiva, clara e sincera.

É uma história que fala para dentro e para fora do MST. Vai do seu nascedouro até a sua consolidação.

Procura dar as explicações e justificativas da evolução de sua dinâmica identidade. Aborda, em forma de análise crítica, as organizações aliadas ou concorrentes, amigas ou inimigas, sem faltar, naturalmente, a toda hora, o severo julgamento das políticas governamentais, especialmente dos governos Collor e FHC, com apreciações bem pontuais a respeito de alguns dos seus principais figurantes.

Não é um monólogo. É um diálogo bem provocador e que vai, certamente, suscitar outras vozes que, concordando ou discordando, comentando ou completando, poderão dar uma contribuição para algo que deve ir muito além do próprio MST.

Como fui, com muita honra, convidado para me associar a esse diálogo, na forma de prefação deste livro, vou destacar uma coisa que, a meu ver, mudou o cenário das históricas lutas brasileiras pela conquista da terra. Trata-se do caráter surpreendentemente novo e inédito deste Movimento. Ele está, naturalmente, em continuidade com a inspiração de Ajuricaba, de Zumbi, de Antônio Conselheiro, de Julião, mas produz algo próprio que o identifica de forma inconfundível no correr desta belíssima história nossa de conquista da terra.

Vou dar alguns exemplos: o primeiro é a ocupação da terra. Ocupação de terra em nosso país faz parte da nossa história nacional. Tornou-se um patrimônio brasileiro a tal ponto que a legislação a incorporou ao próprio conceito de propriedade. Porém, o MST trouxe a novidade da organização da ocupação de massas, levada com garra, em todos os pontos do país, em terra produtiva ou improdutiva, com a inarredável certeza da vitória contra o latifúndio e até contra o próprio governo. E essa ocupação parece que veio para ficar. Curiosamente, assim como a ocupação mansa e pacífica do negro quilombola e do camponês criou lei, essa ocupação atual da comunidade toda, de homens e mulheres, de adultos, jovens e crianças, de famílias inteiras, está abrindo um caminho novo à interpretação da lei e à mudança na própria lei. Em todo caso, o que existe atualmente de reforma agrária no Brasil vem dessas ocupações.

Outra novidade, que considero uma pérola rara, é o novo modelo de produção. "Produzir" é, aliás, um dos lemas do movimento. Mas esta produção surgiu aí como o ovo de Colombo. Trata-se de experiência concreta da divisão do trabalho, radicalmente associada à divisão da renda. Divisão do trabalho até o capitalismo faz. Onde este não chega, nem pode chegar, é na divisão da renda, sem exploração dos trabalhadores. Essa experiência agrega o trabalho comunitário e cooperativista, a técnica e a cultura de cada região, a agroindústria e o envolvimento do meio *rururbano*.

A par disso, o MST tem buscado transformar o assentamento num lugar bonito, atraente, com reflorestamento, com flores, enfim, inspirado na solidariedade, sem faltar a alegria da festa, marca inconfundível do nosso povo. Esta é, a meu ver, a força que confunde esse governo, que não acredita em reforma agrária, por estar visceralmente atrelado e dependente dos modelos europeu sobretudo e do norte-americano; individualistas, concorrentes e concentradores.

Em face das inúmeras dúvidas a respeito do futuro dos assentamentos, aí está uma perspectiva de luminosa esperança, embora ainda na condição de amostragem e na forma de pequenina semente.

Um terceiro ponto que me chamou a atenção nesta entrevista foi o que aí é caracterizado com a palavra "abertura", referindo-se a uma atitude crescente e inerente ao movimento. Qual a origem disto? Seria uma herança ligada à Comissão Pastoral da Terra (CPT), à Teologia da Libertação, à religiosidade popular, à Bíblia, à mística? Certamente é uma mística. É a abertura que permitiu ao movimento romper com o isolamento a que o queriam condenar. Livrou-o do sectarismo esquerdista, do dogmatismo intolerante, da rígida discriminação de quem pode e de quem não pode entrar nele. Deu-lhe um cunho, por assim dizer, macroecumênico.

Este é, a meu ver, um dos segredos do "resistir" do MST. Com seus 15 anos de vida, ele já superou vários outros movimentos de luta pela terra do país. Desta forma, ele não criou um grupo de fanáticos fechados no seu pequeno mundo. Ao contrário, assumiu os desafios, as angústias e esperanças de todo o povo brasileiro.

No dia 26 de julho último, senti a emoção de participar, no Rio de Janeiro, da largada da Marcha dos Sem Terra em direção a Brasília. O objetivo é bem mais amplo e profundo do que a simples reforma agrária. Trata-se de conseguir a mudança radical e imediata das estruturas de iniquidade que estão gerando o empobrecimento e a exclusão da maioria do povo brasileiro.

A meu ver, aqueles peregrinos do MST estavam assumindo ali uma missão que supera de muito este movimento, a saber, a missão de representar todos os cidadãos e cidadãs brasileiros que, nesta hora de crise sem precedentes e, ao mesmo tempo, prenhe de um imprevisível potencial cívico, estão em busca da alternativa Brasil Nação soberana, em lugar da colônia que está aí. Eu vi aquela Marcha como a grande oportunidade de unificar as lutas de tantas organizações sociais existentes em nosso país, somando todas as forças e tecendo a tão desejada unidade de todos os que reagem contra a gigantesca impostura montada há séculos entre nós e pensam concretamente no Brasil que queremos, na pátria dos nossos sonhos.

Dom Tomás Balduíno
Agosto de 1999

APRESENTAÇÃO

O conteúdo deste livro é resultado de parte de uma entrevista que realizei com João Pedro Stedile em fevereiro de 1998. Foram três dias de trabalho, quando discutimos sobre diversas questões referentes ao processo de formação do MST, à luta pela terra e pela reforma agrária, à política de assentamentos do governo federal, às questões políticas e econômicas do país e aos processos de ressocialização criados pelo movimento nesses 20 anos de luta.

A entrevista foi uma das atividades do Projeto História do MST – 1979-1999. Desde 1997, foram entrevistadas diferentes personagens que vivenciaram a história da formação e da territorialização do MST. Para tanto, viajei por 21 Estados, visitando assentamentos e acampamentos, pesquisando nas bibliotecas das principais universidades brasileiras e nas secretarias do movimento e da Comissão Pastoral da Terra, recolhendo dados e informações. O material colhido nessa pesquisa de campo está sendo utilizado na produção de um livro a respeito dos 20 anos de vida do MST, desde a sua gênese.

Em especial, neste livro reunimos questões e temas que abordam as primeiras lutas, as primeiras reuniões e encontros que resultaram no nascimento do MST. Durante três dias entrevistei João Pedro Stedile, a partir de um roteiro de questões pré-elaborado com o objetivo de *puxar pela memória* os mais representativos momentos e eventos construídos pelas ações dos sem-terra na formação de seu Movimento.

Para que o leitor tenha uma visão bastante ampla do MST, apresentamos os princípios do movimento, que foram construídos num processo de aprendizado com o estudo das lutas camponesas, desde o início da história do Brasil. Assim, o leitor conhecerá como o MST foi tomando forma, e crescendo até tornar-se a organização que é hoje. Desde as primeiras experiências na constituição das comissões, das coordenações, dos setores, até atingir essa estrutura em movimento que caracteriza a forma de organização social do MST.

Stedile vivenciou essa história desde o seu princípio. Foi uma das pessoas que construíram o MST a partir da realidade, dos conhecimentos das lutas populares e de suas próprias ideias, elaboradas no movimento da luta. Cada sem-terra em cada canto do Brasil participou com sua cota-parte, socializando a luta pela dignidade humana. O MST é fruto dessas experiências relatadas por uma centena e meia de pessoas que entrevistei por esse Brasil afora. Cada uma tem a sua história. Essas histórias são a história do MST, que já marcou essas duas últimas décadas da história do Brasil.

Assim, o MST é a continuação de 500 anos de luta pela terra. São cinco séculos de luta contra o latifúndio. É uma história camponesa, de famílias que estão lutando para entrar na terra, para trabalhar, para viver com dignidade. Constroem experiências de organização do trabalho e da produção, procurando enfrentar o modo capitalista de produção, resistindo à exploração e à expropriação. Executam experiências de desenvolvimento e de solidariedade, da mesma forma como criam uma mística em que acreditar no futuro é saber resistir no presente. Desafiando sempre. São sujeitos irreverentes.

Muitas teses já foram defendidas afirmando que o campesinato não tem futuro. Parafraseando Teodor

APRESENTAÇÃO

Shanin: os sem-terra constroem o seu futuro desconhecendo a aversão que muitos intelectuais têm a seu respeito. O futuro é uma dimensão da marcha da luta pela terra. Assim, essas mulheres, esses homens e essas crianças se espacializam por todos os lugares, no espaço e no tempo.

Em seus 20 anos de existência, desde o princípio de sua gestação, em 1979, até seu nascimento como MST, em janeiro de 1984, em cada período de sua história, Stedile nos conta os enfrentamentos e os desafios que superaram. Apresenta os principais pensadores que influenciaram o processo histórico de formação, bem como as instituições que participaram das articulações políticas que geraram o movimento. Presta, assim, um tributo aos que se dedicaram e se dedicam à luta dos trabalhadores.

Ao publicar este livro, a Editora Fundação Perseu Abramo propicia aos interessados pela questão agrária brasileira o conhecimento mais minucioso a respeito do MST. Para as centenas de milhares de pessoas que são militantes da reforma agrária, este livro é uma importante referência para a compreensão da nossa luta. Para os jovens militantes do MST, essa nova geração de sem-terra, este livro é uma memória da luta que seus pais iniciaram. Da mesma forma, o MST é um jovem movimento social que tem uma vida inteira de lutas pela frente.

Bernardo Mançano Fernandes
Maio de 1999

RAÍZES

Bernardo Mançano Fernandes: *Gostaria de começar nossa conversa a partir da questão da gênese e da natureza do MST (Movimento dos Trabalhadores Rurais Sem Terra).*

João Pedro Stedile: Já conseguimos sistematizar um pouco, durante a própria evolução do MST, sobre a gênese de nossa organização. Mesmo não tendo a compreensão da amplitude do seu significado nem uma teorização mais bem elaborada, dizemos que a gênese do MST foi determinada por vários fatores. O principal deles foi o aspecto socioeconômico das transformações que a agricultura brasileira sofreu na década de 1970. Nessa década, houve um processo de desenvolvimento que José Graziano da Silva[1] denominou de "modernização dolorosa". Foi o período mais rápido e mais intenso da mecanização da lavoura brasileira.

No sul do país, considerado o berço do MST, o fenômeno da introdução da soja agilizou a mecanização da agricultura, seja no Rio Grande do Sul, com uma lavoura casada com o trigo, que já tinha uma certa tradição, seja no Paraná, como uma alternativa ao café. A mecanização da lavoura e a introdução, digamos, de uma agricultura com características mais capitalistas expulsaram do campo, de uma maneira muito rápida, grandes contingentes populacionais naquela década. Eram famílias que viviam como arrendatárias, parceiras ou filhos de agricultores que recebiam um lote desmembrado da

1. Professor da Universidade Estadual de Campinas (Unicamp) e autor do livro *A modernização dolorosa* (Rio de Janeiro, Zahar Editora, 1982). Trata-se da análise do processo de desenvolvimento capitalista na agricultura brasileira nos anos 1970, que modernizou as tecnologias mas manteve a concentração da propriedade e a exclusão social.

já pequena propriedade agrícola de seus pais. Foi um período em que a natureza principal da agricultura era o uso intensivo de mão de obra. Não sei se é justo dizer que era uma agricultura atrasada – penso que aqui não cabem comparações –, que utilizava muita mão de obra e pouca mecanização. Com a entrada da mecanização, liberou-se um enorme contingente de pessoas. Num primeiro momento, essa massa populacional migrou para as regiões de colonização, especialmente Rondônia, Pará e Mato Grosso.

No entanto, logo começaram a vir notícias dessas regiões de que os camponeses não conseguiam se reproduzir como camponeses. Essas regiões não tinham vocação para a agricultura familiar, e os migrantes estavam acostumados, no sul do país, a produzir grãos, como feijão, arroz, milho etc. As dificuldades também eram grandes porque o próprio governo, que promovia a colonização das fronteiras agrícolas, tinha na prática uma política de estímulo à pecuária. Na verdade, o governo queria promover com esse êxodo uma transferência de mão de obra para o garimpo e para o extrativismo de madeira. Esse era o grande projeto ao deslocar populações para lá, assim como colocar grandes contingentes populacionais nas fronteiras internacionais do Brasil, de acordo com a ótica da política de segurança nacional da época. Apesar de nessas regiões haver terra disponível – e o grande sonho do camponês é ter o seu próprio pedaço de terra –, a perspectiva de ir para o Norte logo se desfez com a chegada dessas notícias.

Havia também um grande contingente dessa população expulsa do campo que foi para a cidade, motivado pelo acelerado processo de industrialização. Era o período do chamado "milagre brasileiro". No fim dos anos 1970, começam a aparecer os primeiros sinais da crise da indústria brasileira, que irá se prolongar por toda a década de 1980, conhecida como "a década perdida".

---

2. Golpe militar ocorrido no Brasil em 1º de abril de 1964, que resultou na deposição do presidente João Goulart (PTB). Perdurou de 1964 a 1984.

3. Movimento camponês que teve seu início nos idos de 1954, fundado no Engenho Galileia, em Vitória de Santo Antão, Pernambuco. Teve entre seus fundadores José dos Prazeres e, durante sua trajetória, projetou líderes como Francisco Julião, Clodomir de Moraes, João Pedro Teixeira e Elizabeth Teixeira. As Ligas Camponesas existiram até 1964, quando foram postas na ilegalidade e perseguidas. Funcionaram basicamente nos Estados do Nordeste, com maior força em Pernambuco, Paraíba e Alagoas.

Do ponto de vista socioeconômico, os camponeses expulsos pela modernização da agricultura tiveram fechadas essas duas portas de saída – o êxodo para as cidades e para as fronteiras agrícolas. Isso os obrigou a tomar duas decisões: tentar resistir no campo e buscar outras formas de luta pela terra nas próprias regiões onde viviam. É essa a base social que gerou o MST. Uma base social disposta a lutar, que não aceita nem a colonização nem a ida para a cidade como solução para os seus problemas. Quer permanecer no campo e, sobretudo, na região onde vive.

BERNARDO: *Antes do golpe militar[2], em 1964, no Nordeste as Ligas Camponesas[3] eram o movimento mais organizado. Com o golpe militar e a consequente perseguição política, ocorre o fim das Ligas. Isso contribuiu para que o MST viesse a nascer no Sul, nos últimos anos da década de 1970, já no fim da ditadura militar?*

JOÃO PEDRO: Muita gente considera que o ressurgimento da luta pela terra aconteceu no Sul do Brasil porque as Ligas tinham sido praticamente extintas no Nordeste. A luta pela reforma agrária no Nordeste foi duramente reprimida.

No Sul tivemos, antes do golpe, a experiência do Movimento dos Agricultores Sem Terra (Master)[4]. Mas o ressurgimento da luta, ou, especificamente, o surgimento do MST no Sul não tem muito a ver com a memória histórica do Master. Até mesmo porque ele foi derrotado politicamente em 1962, não em 1964, quando veio o golpe militar. A decadência do Master começou quando Leonel Brizola[5] saiu do governo, em janeiro de 1963, e porque ele não conseguiu se constituir como um movimento social autônomo. Estava muito vinculado ao antigo Partido Trabalhista Brasileiro (PTB)[6]. De maneira geral, de 1962 a 1964, o PTB assumiu a mesma orientação da União de Lavradores e Trabalhadores Agrícolas

4. Movimento fundado no Rio Grande do Sul, em 1958, sob influência de líderes políticos do PTB, como Leonel Brizola, Paulo Schilling, Jair Calixto e João Sem-Terra. O movimento pressionava o governo estadual a realizar assentamentos. Funcionou de 1958 a 1964, quando foi colocado na ilegalidade e perseguido.

5. Governador do Estado do Rio Grande do Sul (1959-63) pelo PTB, foi eleito deputado federal pelo Rio de Janeiro e, em 1964, cassado. De volta do exílio, em 1979, reorganizou o seu antigo partido, que passou a se chamar Partido Democrático Trabalhista (PDT) e governou duas vezes o Estado do Rio de Janeiro (1983-87 e 1991-94). Concorreu à presidência da República em 1989 e 1994 e, em 1998, à vice-presidência.

6. Fundado em 1945 por Getúlio Vargas, o PTB reunia lideranças do movimento trabalhista. Possuía doutrina nacionalista e tradição populista. Em 1964, foi extinto pelo golpe militar – o que ocorreu também com todos os demais partidos – e refundado em 1979, sob o controle de Ivete Vargas, neta de Getúlio. Passou a reunir forças políticas conservadoras, desvinculadas de suas origens trabalhistas.

7. Associação classista composta por camponeses e assalariados rurais, organizada pelo Partido Comunista Brasileiro (PCB), já que era proibido criar sindicatos naquela época. As Ultabs funcionaram basicamente entre 1954 e 1962. Com o direito à sindicalização, todas elas se transformaram depois em sindicatos. Tiveram alguma amplitude nos Estados do Sudeste, onde o PCB tinha muita influência política e deslocava militantes da cidade para organizá-las. Depois que se somaram à estrutura sindical oficial, elegeram Lindolfo Silva o primeiro presidente da Contag (Confederação dos Trabalhadores na Agricultura; cf. nota 20, p. 19). Nestor Veras, outro de seus mais importantes líderes, foi preso pela ditadura militar em 1964 e provavelmente assassinado, considerado desaparecido até hoje.

8. Sindicatos de Trabalhadores Rurais (STRs). A partir de 1962, os trabalhadores rurais brasileiros conquistaram o direito de se organizar em sindicatos com base municipal, o que só era permitido aos assalariados urbanos. Independentemente de categoria (assalariados, posseiros, pequenos proprietários ou sem-terra), todos poderiam estar filiados ao sindicato de trabalhadores rurais. E a partir do sindicato municipal se constituiu toda estrutura sindical verticalista de federações estaduais e a Contag, em nível nacional.

do Brasil (Ultab)[7] e passou a organizar sindicatos[8]. Já as Ligas, não. Estas se mantiveram mais independentes, com base na bandeira de luta "Reforma agrária na lei ou na marra", e, mais do que os sindicatos, se constituíram como a referência da luta pela reforma agrária.

O MST nasceu no Sul em função de um conjunto de fatores, que tem suas raízes nas condições objetivas do desenvolvimento da agricultura. Mesmo assim nós, do MST, nos consideramos herdeiros e seguidores das Ligas Camponesas, porque aprendemos com sua experiência histórica e ressurgimos com outras formas.

BERNARDO: *A gênese do MST se dá no Sul pela histórica concentração de camponeses naquela região?*
JOÃO PEDRO: Exatamente, do ponto de vista socioeconômico e histórico.

BERNARDO: *Os camponeses que perderam a terra e o trabalho por causa da modernização da agricultura passam a se organizar e a resistir?*
JOÃO PEDRO: Sim, porque querem continuar no campo e na região onde moram. É a vocação pela terra. Antes eles eram arrendatários, meeiros, filhos de agricultores que ainda moravam no fim da roça do pai. Agora eles não conseguem mais se reproduzir no campo, estão sendo expulsos da terra. Então resolvem se organizar e lutar para continuar como agricultores nos seus Estados de origem.

BERNARDO: *Não existe nenhuma relação entre o surgimento do MST e a experiência histórica do Master?*
JOÃO PEDRO: Não. O que existe é uma memória histórica que sempre fica presente. O que afirmo é que não há um fio condutor que una as duas organizações. Por exemplo: o Master tinha ideólogos e dirigentes políticos ligados ao antigo PTB, naquele estilo de trabalho deles. Já o MST

surge do trabalho das Igrejas Católica e Luterana[9]. Esse trabalho pastoral das igrejas também faz parte da gênese do MST. E não tem nada a ver com o PTB.

BERNARDO: *Quando começou a se reorganizar a luta pela terra no Rio Grande do Sul, em 1979, havia uma memória de que as terras de Ronda Alta e Sarandi*[10] *eram do Estado e que, em 1962, Leonel Brizola havia prometido fazer assentamentos nelas. Isso, no entanto, não era fundamental, era apenas um resquício histórico. O fundamental mesmo era a origem desse povo, sua cultura, sua concepção de vida e sua história. Eram trabalhadores camponeses que estavam perdendo a sua condição de ser. É o histórico da sua condição de vida, e não o histórico de uma ação do Master. Está correto?*

JOÃO PEDRO: Está, porque o MST surge, ao mesmo tempo, em vários Estados. Penso que é muito simplista dizer que o MST surgiu na região norte do Rio Grande do Sul, embora aqueles camponeses possam ter na memória a experiência histórica de lutas anteriores.

BERNARDO: *Podemos dizer que o MST nasce das lutas que já ocorriam, simultaneamente, nos Estados de Mato Grosso do Sul, São Paulo, Paraná, Santa Catarina e Rio Grande do Sul?*

JOÃO PEDRO: Certo, é uma constatação histórica. Agora, há um segundo elemento muito importante na gênese do MST. O primeiro aspecto, como vimos, é o socioeconômico. O segundo é o ideológico. Quero ressaltá-lo porque é importante na formação do movimento. É o trabalho pastoral, principalmente da Igreja Católica e da Igreja Luterana.

O surgimento da Comissão Pastoral da Terra (CPT)[11], em 1975, em Goiânia (GO), foi muito importante para a reorganização das lutas camponesas. Num primeiro momento ela reuniu os bispos da região amazônica,

9. Igreja Evangélica de Confissão Luterana no Brasil (IECLB). Possui trabalho pastoral entre os camponeses do Sul e do Centro-Oeste, especialmente entre os de ascendência alemã, por meio da Pastoral Popular Luterana (PPL).

10. Municípios gaúchos localizados na região norte do Estado. Nestes municípios houve acampamentos do antigo Master e a desapropriação, no governo Brizola, da Fazenda Sarandi, área improdutiva com 24 mil hectares de propriedade dos Mailios, família de estancieiros uruguaios.

11. Organismo pastoral da Igreja Católica vinculado à Conferência Nacional dos Bispos do Brasil (CNBB). A CPT foi organizada em 1975, em Goiânia (GO), durante um encontro de bispos e agentes de pastoral, a partir de reflexões sobre a crescente onda de conflitos de terra que ocorriam nas regiões Norte e Centro-Oeste do país. A CPT teve como referência doutrinária a Teologia da Libertação (cf. nota 12, p. 20). Procurava aplicar na prática as orientações do Concílio Vaticano II. Embora iniciada no Norte e no Centro-Oeste, estendeu suas atividades para quase todos os Estados do Brasil. Atua em todas as dioceses em que há problemas de terra.

que percebiam o altíssimo grau de violência cometida contra os posseiros das regiões Norte e Centro-Oeste do país. O surgimento da CPT teve, inicialmente, uma motivação regional. Mesmo assim essa articulação de bispos e de padres ligados à luta pela terra representou, do ponto de vista ideológico, um avanço muito importante. De certa forma, foi uma autocrítica ao apoio da Igreja Católica ao golpe militar, sobretudo em relação aos camponeses. Com o surgimento da CPT, há um movimento de bispos, padres e agentes de pastoral, em plena ditadura militar, contra o modelo que estava sendo implantado no campo.

Outro aspecto importante, com o surgimento da CPT, é o pastoral. Penso que é um elemento importante de aplicação prática do que foi o Concílio Vaticano II e das outras encíclicas progressistas que o seguiram. E que, de certa forma, acabou sendo expresso pela Teologia da Libertação[12]. A CPT foi a aplicação da Teologia da Libertação na prática, o que trouxe uma contribuição importante para a luta dos camponeses pelo prisma ideológico. Os padres, agentes pastorais, religiosos e pastores discutiam com os camponeses a necessidade de eles se organizarem. A Igreja parou de fazer um trabalho messiânico e de dizer para o camponês: "Espera que tu terás terra no céu". Ao contrário, passou a dizer: "Tu precisas te organizar para lutar e resolver os teus problemas aqui na Terra". A CPT fez um trabalho muito importante de conscientização dos camponeses.

Há ainda mais um aspecto que também julgo importante do trabalho da CPT na gênese do MST. Ela teve uma vocação ecumênica ao aglutinar ao seu redor o setor luterano, principalmente nos Estados do Paraná e de Santa Catarina. Por que isso foi importante para o surgimento do MST? Porque se ela não fosse ecumênica, e se não tivesse essa visão maior, teriam surgido vários movimentos. A luta teria se fracionado em várias organizações.

12. Corrente pastoral das Igrejas cristãs que aglutina agentes de pastoral, padres e bispos progressistas que desenvolvem uma prática voltada para a realidade social. Essa corrente ficou conhecida assim porque, do ponto de vista teórico, procurou aproveitar os ensinamentos sociais da Igreja a partir do Concílio Vaticano II. Ao mesmo tempo, incorporou metodologias analíticas da realidade desenvolvidas pelo marxismo. Dessa corrente surgiram diversos pensadores importantes, entre eles padre Gutierrez, no Peru; Clodovis Boff e Leonardo Boff, Hugo Asmann, do Brasil (cf. notas 14 e 15, p. 60). A maioria dos precursores é da América Latina.

Se o pastor Werner Fuchs[13], por exemplo, que começou um trabalho de organização dos camponeses atingidos pela barragem da hidrelétrica de Itaipu[14], no Paraná; se ele não estivesse integrado à CPT, teria se formado um movimento camponês dos luteranos.

A CPT foi uma força que contribuiu para a construção de um único movimento, de caráter nacional.

BERNARDO: *Ou seja, se a CPT não existisse os camponeses teriam se organizado, mas o resultado não teria sido o MST?*
JOÃO PEDRO: É possível. É uma hipótese bem plausível.

BERNARDO: *Por quê? Os camponeses sozinhos não teriam força de articulação?*
JOÃO PEDRO: Eu estava na CPT nessa época. Lembro-me de que, num dos primeiros debates, ainda com esse caráter pastoral, nos anos 1981 ou 1982, quando já estavam pipocando as lutas, a CPT levou o professor José de Souza Martins[15] para assessorar a reunião. Não lembro se foi numa plenária ou num trabalho de grupo, debaixo das mangueiras existentes no Centro de Formação da Diocese de Goiânia, que ele fez uma afirmação marcante: "A luta pela terra no Brasil só terá futuro e somente se transformará em um agente político importante para mudar a sociedade se conseguir adquirir um caráter nacional e se conseguir organizar os nordestinos". Foram dois desafios que me marcaram. Saí de lá com isso na cabeça. E a CPT ajudou a superá-los. Cresceu a convicção de que deveríamos construir um movimento nacional e romper com o regionalismo gaúcho, sempre muito cioso de si, que achava que sozinho podia ir longe.

Portanto, esse é o segundo grande fator da gênese do MST: o caráter ideológico do trabalho da CPT. Esse trabalho começou mais no Centro-Oeste, em 1975. Posteriormente, a partir de 1976, se espalhou por todo o país.

13. Pastor da Igreja Luterana e membro da CPT do Paraná. Acompanhou pastoralmente os agricultores atingidos pela construção da barragem de Itaipu (cf. nota 14, p. 21), que criaram o Movimento Justiça e Terra, reivindicando não apenas indenização, mas também o direito de trocar terra por terra. O movimento reuniu milhares de agricultores, que conquistaram seus direitos por meio de diversas mobilizações. Essas mobilizações deram origem ao MST na região oeste do Paraná.

14. Hidrelétrica binacional de Itaipu, construída durante a década de 1970, no rio Paraná, que demarca a fronteira do Brasil com o Paraguai, na altura do município de Foz do Iguaçu. Itaipu é considerada a maior hidrelétrica do mundo. Para a sua construção, mais de 12 mil famílias de pequenos agricultores foram desalojadas de suas terras.

15. Sociólogo, professor da Universidade de São Paulo (USP) e ex-assessor da CPT. Considerado o maior especialista em sociologia rural do país, escreveu vários livros sobre a questão agrária no Brasil. Teve um papel importante como intelectual vinculado às mobilizações camponesas e se destacou ainda na assessoria à CNBB para a elaboração de importante documento da Igreja Católica ("A Igreja e os problemas da terra"), em 1980. O documento foi um marco na interpretação dos problemas agrários brasileiros.

16. Major Sebastião de Moura, conhecido como Coronel Curió: militar brasileiro, membro do serviço de inteligência do Exército e considerado especialista em conflitos rurais. Durante o regime militar, era deslocado para atuar na repressão em diversas regiões do país. Sobre ele pesam acusações de graves violações de direitos humanos contra populações camponesas. Notabilizou-se pela prisão de dois padres franceses e pelo cerco ao acampamento dos sem-terra da Encruzilhada Natalino (RS). Posteriormente, recebeu a missão de controlar a multidão de garimpeiros que havia ocupado o garimpo de Serra Pelada, em Carajás (PA). Com a redemocratização do país, foi eleito deputado federal pelo Pará, recebendo contribuições financeiras para sua campanha de empresas multinacionais como a Mercedes-Benz, por exemplo. Após concluir o mandato, foi condenado pelo assassinato de um menor, que teria furtado laranjas em sua mansão, em Brasília. Cumpriu a pena em liberdade.

17. Cf. o capítulo "A Marcha", p. 149.

18. Romaria daTerra, atividade organizada pela CPT, iniciada em fevereiro de 1979, na localidade de São Gabriel, em homenagem a Sepé Tiaraju, líder guarani assassinado na Guerra das Missões, no século XVIII. Sempre refletindo a realidade dos agricultores, a Romaria daTerra continuou a ser realizada anualmente em locais

Falei em dois fatores da gênese do movimento, mas há um terceiro também importante. Trata-se da situação política, do processo de democratização do país. Não podemos desvincular o surgimento do MST da situação política do Brasil naquela época. Ou seja, o MST não surgiu só da vontade do camponês. Ele só pôde se constituir como um movimento social importante porque coincidiu com um processo mais amplo de luta pela democratização do país. A luta pela reforma agrária somou-se ao ressurgimento das greves operárias, em 1978 e 1979, e à luta pela democratização da sociedade.

Acho que, de certa forma, a concentração que realizamos na Encruzilhada Natalino, em Ronda Alta (RS), no dia 25 de julho de 1981 – e a intervenção do Coronel Curió[16] no acampamento –, considerando as diferenças históricas, teve o mesmo papel da Marcha a Brasília[17], em 1997. Na chegada da Marcha, foram apoiá-la não apenas os que davam solidariedade ao MST. Foram também pessoas que eram contra o governo e que perceberam que a luta pela reforma agrária era importante para derrubar o modelo neoliberal. A mesma coisa aconteceu em 1981, no acampamento da Encruzilhada Natalino. Vieram pessoas do Brasil inteiro. Reunimos 30 mil pessoas numa luta camponesa em plena ditadura militar.

BERNARDO: *Foi uma romaria[18] promovida pela Igreja?*
JOÃO PEDRO: Não, não foi uma romaria. Foi uma concentração de solidariedade ao acampamento, que estava ameaçado pela repressão do governo federal. Portanto, uma concentração popular de cunho político, contra a ditadura militar.

BERNARDO: *O governo federal não designou um oficial do Exército, de Brasília, especialmente para reprimir esse acampamento?*

João Pedro: Isso mesmo. O Coronel Curió. Já se falava muito que ele iria intervir, o que de fato aconteceu. No dia 25 de julho de 1981, Dia do Trabalhador Rural, realizamos uma grande concentração nacional, conforme já falei. Vieram ônibus de São Paulo, Santa Catarina e Paraná. Estiveram presentes dom Tomás Balduíno[19], pela CPT, e representantes da Confederação Nacional dos Trabalhadores na Agricultura (Contag)[20]. Enfim, foi uma concentração nacional, apesar de ser lá no extremo sul, na Encruzilhada Natalino. Isso foi ainda no governo Figueiredo[21]. A motivação era manifestar solidariedade à luta pela reforma agrária e, ao mesmo tempo, lutar contra a ditadura militar. A sociedade, portanto, ajudou a construir o MST, porque, se ela não promovesse a defesa do acampamento da Encruzilhada Natalino, a derrota política que iríamos sofrer teria adiado a construção do MST ou, então, ele teria nascido com outro sentido, com outro caráter.

Bernardo: *Quer dizer que essa concentração foi determinante para o nascimento do movimento?*
João Pedro: Não é que ela tenha sido determinante. É um exemplo desse terceiro fator, a luta pela democratização da sociedade brasileira e contra a ditadura militar, que criou as condições necessárias para o surgimento do MST. Se a luta contra a ditadura militar não tivesse acontecido também na cidade, o MST não teria nascido. Não é possível isolar o surgimento do movimento, acreditando que ele é resultante apenas da vontade dos camponeses.

Bernardo: *Você fez uma relação entre a Marcha a Brasília, em abril de 1997, e a concentração na Encruzilhada Natalino, ocorrida em julho de 1981. Você avalia que a multidão que foi a Brasília não foi apenas em solidariedade ao MST. Foi porque via na luta pela*

diferentes do Rio Grande do Sul. Posteriormente, multiplicou-se como experiência de mobilização pastoral. Hoje realizam-se romarias da terra em praticamente todos os Estados do Brasil.

19. Bispo de Goiás Velho (GO), da linha progressista da Igreja Católica. É um dos fundadores da CPT e do Conselho Indigenista Missionário (Cimi). Considerado um dos bispos proeminentes da Igreja brasileira, tanto pela dedicação pastoral durante 30 anos de bispado quanto por sua contribuição intelectual.

20. Fundada em novembro de 1963 como parte do processo de legalização dos sindicatos no meio rural, a partir de portaria do então ministro do Trabalho, Almino Afonso. Formaram-se os sindicatos de trabalhadores rurais, em seguida as federações estaduais e, então, a Confederação Nacional. A Contag faz parte da estrutura sindical brasileira verticalizada. No setor patronal agrícola, foi formada a Confederação Nacional da Agricultura (CNA). Ambas têm sede em Brasília. A Contag conta atualmente com 27 federações estaduais filiadas, que, por sua vez, articulam em torno de 3.500 sindicatos municipais de trabalhadores rurais.

21. General João Batista Figueiredo: assumiu o poder como presidente da República de 1979 a 1985. Foi o último presidente do regime militar. No seu governo, acentuaram-se a crise econômica e as mobilizações populares

pela democracia. Sua sucessão foi realizada por eleições indiretas. A base governista conservadora formada pelo Partido Democrático Social (PDS) impediu as eleições diretas.

22. Sociólogo, professor da USP, foi senador da República por São Paulo (1983-1994), ministro das Relações Exteriores, ministro da Fazenda (1993-1994) e presidente da República (1995-1998). Foi reeleito presidente em 1998 para um mandato até 2002. É um dos mentores e fundadores do Partido da Social-Democracia Brasileira (PSDB).

23. Parcela originalmente pertencente à Fazenda Sarandi, localizada no município de Ronda Alta (RS). Área pública grilada durante o regime militar pela empresa Madeireira Carazinho Ltda. (daí o nome Macali), que, apesar de dedicar-se ao comércio de madeira, passou a explorar a lavoura como forma de aumentar seus lucros. Essa área foi ocupada por 110 famílias de agricultores sem-terra no dia 7 de setembro de 1979. O governo estadual entregou então as terras para os agricultores. Essa ocupação vitoriosa representou o reinício das lutas pela terra e contribuiu para a formação do MST.

24. Índios kaigangs: povos originários do norte do Estado do Rio Grande do Sul, do grupo Guarani. Os que sobreviveram ao extermínio receberam uma reserva localizada no município de Nonoai (RS), com aproximadamente

reforma agrária uma forma de lutar também por outras questões democráticas?
João Pedro: Exatamente. Democráticas e contra o modelo neoliberal, contra o governo Fernando Henrique Cardoso[22]. As pessoas foram a Brasília pelo que significava a reforma agrária para a sociedade como um todo. Não foi só um gesto de solidariedade. Foi uma luta unificadora, que, inclusive, não soubemos assimilar na época. Se tivéssemos sabido assimilar, aproveitando toda a força política que a luta pela reforma agrária estava galvanizando naquele momento, poderíamos ter proposto outros desdobramentos depois da Marcha. É muito difícil estar no meio da luta, num momento histórico, e vislumbrar horizontes maiores.

Bernardo: *Temos, então, os principais fatores da gênese do MST. A natureza já está embutida: camponesa, de resistência na terra e pelo trabalho. Também já se evidenciou que o MST surgiu na região Centro-Sul. Assim, como você situa a ocupação da Fazenda Macali[23], no Rio Grande do Sul? Foi uma das primeiras ações do MST?*
João Pedro: A Macali foi uma trincheira, mas não foi a guerra.

Bernardo: *Há textos que concentram muito o surgimento do MST na Macali. Ela sempre é o ponto de partida. Na sua análise até aqui, há vários pontos de partida. É isso?*
João Pedro: É. Foram várias trincheiras. No Rio Grande do Sul, foi a Macali, não pelo espaço geográfico, pelo pedaço de terra conquistado, e sim porque foi uma vitória. Se fosse só pelo espaço geográfico, em nome da verdade histórica, deveríamos dizer que o movimento surgiu da expulsão dos colonos que viviam na reserva indígena dos kaigangs[24], em Nonoai (RS). A Macali ganhou fama porque teve repercussão e porque foi vitoriosa.

Bernardo: *Em termos de repercussão, a Macali era uma espécie de Pontal do Paranapanema[25] atual. Mesmo acontecendo lutas em outros Estados, somente um local é destacado. A imprensa vai para lá e o transforma em referência nacional. Quando a imprensa elege um fato ou uma pessoa, dá continuidade para que o leitor tenha referência de tudo o que está acontecendo. Com isso, perdemos a riqueza da luta, do processo como um todo.*

João Pedro: O próprio jornal não é uma boa fonte. De certa forma, ele pode fazer repercutir a luta de classes, a luta política. Mostra onde é que estão os centros, as trincheiras principais, mas não abarca todo o universo. Não consegue e não quer porque aí entra o caráter de classe.

Bernardo: *O envolvimento do padre Arnildo Fritzen[26] e a própria saída das famílias de Nonoai, que está na origem da Macali, foram fatores importantes na história da Macali. Que outros fatores históricos influíram?*

João Pedro: A saída da Nonoai foi muito complexa. Em rápidas pinceladas, os índios kaigangs expulsaram da reserva de Nonoai cerca de 1.200 famílias. Elas foram para a beira da estrada porque, literalmente, perderam tudo. Algumas casas foram até queimadas. Não tinham para onde ir, não lhes restava outra opção a não ser acampar na beira da estrada. Depois de alguns meses, cerca de 700 dessas famílias aceitaram a proposta do governo e foram para Mato Grosso. A proposta era esta: "Tem terra em Mato Grosso, vão morar lá". Como um grande número aceitou – mais de 50% do total –, o governo achou que o conflito estava resolvido. Mas permaneceram 500 famílias perdidas, dispersas. Algumas foram acolhidas em casas de parentes. E havia três núcleos que reuniam um número significativo de famílias. Meu primeiro trabalho foi identificar onde é que elas estavam. Identifiquei um núcleo no município de Planalto, outro próximo à cidade de Nonoai e o terceiro, em Três Palmeiras. Na

10 mil hectares. Durante o regime militar, a área foi ocupada por posseiros pobres, estimulados pela Fundação Nacional do Índio (Funai). No mês de julho de 1978, os índios se organizaram e expulsaram cerca de 1.200 famílias de agricultores de suas terras. Estes, sendo pobres e não tendo para onde ir, acamparam à beira das estradas, esperando providências do governo.

25. Região do sudoeste de São Paulo, na confluência dos rios Paraná e Paranapanema, que se transformou num dos principais focos de conflitos de terra do país, em função da existência de mais de 1 milhão de hectares de terras públicas griladas por fazendeiros, mas que pertencem legalmente ao governo do **Estado de São Paulo**. A origem da grilagem remonta à década de 1950, mas teve maior proeminência – e certeza de impunidade – durante a ditadura militar. Em função das pressões do MST, o Estado de São Paulo passou a mover ações de reintegração de posse contra os fazendeiros-grileiros e a realizar assentamentos de sem-terra nas fazendas recuperadas.

26. Pároco na cidade de Ronda Alta (RS) desde 1976, é um dos fundadores da Comissão Pastoral da Terra no Rio Grande do Sul. Participou ativamente das primeiras ocupações do Estado e contribuiu decisivamente para a formação do MST.

época, Três Palmeiras pertencia ao município de Ronda Alta, onde o padre Arnildo era vigário. O que mais me chamou a atenção foi o grau de precariedade e pobreza dessas famílias, ainda mais porque comecei a ir lá e a conversar com elas em pleno inverno, entre os meses de maio e junho. Fazia um frio de matar. Pelo nível de consciência que tinham, colocavam toda a culpa nos índios. Meu primeiro trabalho, junto com Ivaldo Gehlen[27] e com Fladimir Araújo[28], foi mudar essa visão. Dizíamos: "Esqueçam os índios. Essa aí é a terra deles. Agora, não significa que no Brasil não tenha mais terra. Tem, sim. Como o governo quis levar vocês para Mato Grosso, vocês não quiseram e decidiram ficar no Rio Grande, vamos procurar terra aqui".

Na época eu morava em Cachoeirinha[29], na Grande Porto Alegre. Enfrentava um problema de tempo e de distância. Aproveitava os sábados e os domingos para fazer esse trabalho. Era muito demorado construir os contatos, formar lideranças, reunir famílias. Vamos supor que o trabalho começou em maio. Só no mês de julho um grupo, mais espoleta, disse: "Ah, então temos o direito de ter terras no Rio Grande". Esse grupo, por conta própria, fez uma ocupação sem muita preparação. Eram daquelas pessoas que acham que podem resolver tudo sozinhas e logo. Uma ocupação pequena, juntaram só umas 30 famílias. Entraram numa reserva florestal do Estado. O governo veio e reprimiu a ocupação. Foram despejados.

BERNARDO: *O que aconteceu com esse grupo? Para onde foi? Não desanimou?*

JOÃO PEDRO: Foi despejado e voltou para o antigo acampamento. Claro que isso mexe com a cabeça de cada um. Imagine um cara ir na primeira ocupação e já ser reprimido pelo governo. O que isso significa na cabeça de um camponês? Aí, começamos a explicar o erro que eles haviam cometido. A ocupação não deu certo porque

---

27. Professor do Departamento de Sociologia da UFRS. Realizou um dos principais estudos sobre o MST no Rio Grande do Sul.

28. Jornalista, funcionário da Assembleia Legislativa do Rio Grande do Sul. Como militante voluntário, foi um dos fundadores do *Boletim Sem Terra* e primeiro editor do *Jornal Sem Terra*, no período de 1984 a 1988.

29. Município gaúcho da região metropolitana de Porto Alegre, de base operária, com aproximadamente 100 mil habitantes.

era uma área florestal e, assim, ninguém iria apoiá-los. A Brigada Militar[30], seguindo ordens do governador, despejou as famílias acampadas e ninguém se solidarizou com elas. Só o padre Arnildo se solidarizou, levou comida etc. Eu, como funcionário da Secretaria da Agricultura, sabia a história da Macali. Os que se diziam donos eram arrendatários, tinham grilado[31] as terras. Como o Estado não se mexia para requisitar essas terras para seu domínio, meu papel foi o de contar a situação real dessa fazenda. Aos poucos começou a se reproduzir, entre as famílias acampadas, o comentário geral: "Olha, tem uma fazenda aqui na região que é grilada. Os que se dizem donos não têm moral perante a sociedade. Temos que fazer pressão para conseguir essas terras".

A primeira decisão foi pedir uma audiência com o governador. O exemplo dessa audiência é uma amostra de como era planejado o trabalho com essas famílias. Estabelecíamos passos pedagógicos para as pessoas irem aprendendo, sobretudo as lideranças. Como as lideranças tinham presente o objetivo, que era ocupar as terras, já estava na cabeça delas que seriam as fazendas Macali e a Brilhante. Eram as terras mais fáceis de serem ocupadas, mas antes tínhamos que convencer a sociedade. Na audiência com o governador Amaral de Souza, as lideranças já estavam com tudo na cabeça, porém não estavam tão bem preparadas. A audiência estava acontecendo num clima parcialmente amistoso. O governador sempre repetindo: "Eu tenho o compromisso de resolver o problema de vocês". No final da audiência, uma das lideranças, de quem não recordo o nome, apesar de ele ter ficado famoso pelo episódio, quase pôs por terra toda a preparação tática. Ele disse: "Governador, e se ocuparmos aquela tal granja Macali?". Quase caímos da cadeira. As outras lideranças queriam comê-lo vivo. Como é que ele entregava tudo para o governador, na maior ingenuidade? O governador perguntou: "Qual é a

30. Nome da Polícia Militar do Rio Grande do Sul.

31. Grilagem é o ato pelo qual os fazendeiros falsificam documentos para se apossar e legalizar extensões de terras públicas. O nome tem origem na prática de colocar os papéis falsificados em gavetas com grilos, para que eles "envelheçam" os documentos.

granja Macali?". E o companheiro continuou: "Aquela lá que está grilada pelos Dalmolin"[32]. Aí o governador, que foi pego de surpresa pela proposta, caiu na besteira de dizer: "Aquilo lá está tão inviável que eu não sei o que fazer. Se vocês ocuparem, acho que até vou dar graças a Deus". Foi a chave do comprometimento.

BERNARDO: *O governador chegou a dizer isso?*
JOÃO PEDRO: É, algo muito parecido com o que estou relatando. Ele deu uma de populista. Nosso companheiro, com quem estávamos bravos por ter entregue ao governador nossa tática, acabou ajudando muito. Como a imprensa estava registrando a audiência, no outro dia o fato repercutiu em todo o Estado. As palavras do governador e a repercussão na sociedade deram ânimo para realmente ocuparmos aquela área, mesmo porque estávamos em dúvida se deveria ser primeiro a Macali ou a Brilhante. Qual das duas iríamos ocupar? Havíamos planejado que a ocupação deveria ser dia 7 de setembro. Com a resposta do governador, definimos que seria a Macali e aceleramos os preparativos para fazer a ocupação na data previamente marcada. Foi o que aconteceu.

BERNARDO: *Foi nessa época que você começou a se envolver com a luta pela terra, pela reforma agrária?*
JOÃO PEDRO: Foi um pouco antes, quando eu estudava economia na PUC do Rio Grande do Sul.

BERNARDO: *Nessa época, você tinha algum plano de participar de um movimento social camponês ou foi a própria realidade que fez você se envolver?*
JOÃO PEDRO: Foi a realidade.

BERNARDO: *Você não tinha ideia?*
JOÃO PEDRO: Nenhuma ideia. Tanto é que o início da minha militância política foi nos sindicatos. Na época

---

32. Ari Dalmolin, ex-presidente da Central de Cooperativas do Rio Grande do Sul (Centralsul). Possuía diversas fazendas em Passo Fundo (RS). Graças à sua proximidade com o regime militar, estava grilando a Fazenda Brilhante, de 1.600 hectares, de propriedade do Estado. Com a ocupação, o fato veio a público e o governo foi obrigado a distribuir a fazenda entre os sem-terra. Mais tarde, houve um processo contra Dalmolin por corrupção na Centralsul. Condenado, refugiou-se numa de suas fazendas de Mato Grosso.

da ditadura militar, era o sindicato que fazia a luta pela reforma agrária. O primeiro trabalho político no sentido de conscientização que fiz foi com os produtores de uva da Serra Gaúcha, na região onde fui criado. Fiz amizade com o presidente do Sindicato dos Trabalhadores Rurais de Bento Gonçalves, que era uma pessoa ligada ao MDB progressista[33], o Mário Gabardo[34], até hoje um grande amigo, que me levou para dentro do sindicato. Nos fins de semana ou quando podia fugir do meu trabalho, ia para a região. Lá começamos o trabalho de conscientização e de organização dos camponeses. Calculávamos com eles o quanto custava produzir 1 kg de uva e comparávamos com o preço pelo qual eles eram obrigados a vender. Fiz esse mesmo trabalho depois com os fumicultores gaúchos, também por meio do sindicato.

Naquela época, a minha consciência era essa aí. Sabia que os camponeses tinham de se organizar. Eles já tinham o instrumento – o sindicato. Depois comecei a me envolver com a luta pela terra, que deu origem à ocupação da Fazenda Macali e às outras ocupações. Aí, me dei conta de que o sindicato, na luta pela terra, era insuficiente. Concluí isso com a experiência das lutas concretas, não por estudos teóricos.

33. Corrente progressista dentro do Movimento Democrático Brasileiro (MDB), partido fundado pela ditadura militar para acomodar a oposição consentida.

34. Presidente do Sindicato dos Trabalhadores Rurais de Bento Gonçalves (RS) por duas gestões. Foi um dinâmico líder dos pequenos produtores de uva. Ajudou a reconstruir o sindicalismo combativo. Liderou várias mobilizações dos produtores de uva da região serrana gaúcha, que contribuíram para recuperar a renda e o poder de pressão dos produtores sobre as empresas vitivinícolas, a maioria multinacionais, no período de 1979 a 1988.

Características e Princípios

BERNARDO: *O MST é um movimento camponês? É uma afirmação e uma pergunta ao mesmo tempo porque, por exemplo, para o professor Ricardo Abramovay[1], o camponês morreu, e o que temos hoje é a agricultura familiar. Como você vê essa questão?*
JOÃO PEDRO: Esse é o trabalho do especialista, do pesquisador, de precisar melhor os conceitos. Pessoalmente, não tenho certeza. Acho que o MST nasceu como movimento camponês, de agricultores acostumados com o trabalho familiar e que resolveram lutar pela terra.

BERNARDO: *Por que então ele não se chama Movimento dos Camponeses Sem Terra?*
JOÃO PEDRO: Porque a palavra "camponês" é meio elitizada. Nunca foi usada pelos próprios camponeses. Não é, digamos, um vocábulo comum. O Partido Comunista do Brasil (PCdoB)[2] foi o único que usou o termo "camponês". O homem do campo geralmente se define como agricultor, trabalhador rural ou como meeiro, arrendatário. É, na verdade, mais um conceito sociológico e acadêmico, que até pode refletir a realidade em que eles vivem, mas que não foi assimilado. Não sendo uma palavra popular, não tinha como colocá-la no nome do movimento. Na essência, o MST nasceu como um movimento camponês, que tinha como bandeira as três reivindicações prioritárias: terra, reforma agrária e mudanças gerais na sociedade. Quando nós

1. Professor da USP. Especialista em agricultura familiar. Tem diversos livros publicados sobre o tema.

2. Originário do Partido Comunista Brasileiro (PCB), fundado em 1922. Em 1962, houve uma dissidência interna no PCB em torno da crise do stalinismo na União Soviética. Uma parte do partido manteve a sigla e outra adotou a sigla PCdoB. Este último agrupamento foi liderado por João Amazonas. Em certo período, aderiu às teses maoistas. Mais tarde, abandonou-as e se vinculou à linha albanesa. Revisou parte de suas posições históricas e hoje participa do processo eleitoral.

mesmos fomos nos conceituar, percebemos que o MST era diferente dos movimentos camponeses históricos, que apenas lutavam por terra.

BERNARDO: *Em que sentido era diferente?*
JOÃO PEDRO: É difícil entender o MST a partir da nossa autodefinição. Percebemos que, com esse caráter de movimento camponês, ele era *sui generis*. Desde o início, todas as formas de luta que desenvolveu foram de massas, o que trouxe para dentro dele três características fundamentais. A primeira foi a de ser um movimento popular, em que todo mundo pode entrar. Nesse caráter popular, teríamos ainda uma subdivisão. De um lado, popular no sentido de que, dentro da família camponesa, vai todo mundo. Participam o idoso, a mulher e as crianças. Nesse ponto, ele se diferencia do sindicato, porque, tradicionalmente, somente o homem, adulto, participa das assembleias sindicais. Percebemos que aí residia a nossa força, pois o homem, além de ser machista, é conservador e individualista. O movimento, na medida em que inclui todos os membros da família, adquire uma potencialidade incrível. O adolescente, por exemplo, que antes era oprimido pelo pai, percebe que numa assembleia de sem-terra ele vota igual ao pai. Ele decide igual, tem o mesmo poder, tem vez e voz e se sente valorizado.

A outra subdivisão do caráter popular e que o torna mais popular ainda é que, desde o início, talvez até pelo trabalho da Igreja, fomos pouco sectários. Ou seja: somos um movimento camponês que tem essa raiz da terra, essa ideologia em que entra todo mundo que queira lutar pela reforma agrária. Pode entrar o militante urbano, o técnico da Emater[3], o padre etc. Ninguém ficava pedindo atestado de atuação. Isso também deu uma consistência maior para o MST. Ele soube se abrir ao que havia na sociedade. Simplesmente ele não se

3. Empresa Estadual de Assistência Técnica e Extensão Rural (Emater), vinculada aos governos estaduais. Recebia recursos federais para dar assistência aos pequenos agricultores. A Emater surgiu no final da década de 1970, como resultado de uma política centralizadora do governo federal em substituição às associações de assistência dos governos estaduais, entre as quais as mais conhecidas eram a Acaresc (SC) e a Ascar (RS). Na década de 1990, com a política neoliberal de marginalização da agricultura familiar, as Emater também sofreram uma marginalização por parte dos governos federal e estaduais.

fechava e não se fecha em um movimento camponês típico, no qual só entra quem pega na enxada. No início, havia até brincadeiras sobre as diferenças entre os *mãos grossas* e os *mãos lisas*.

BERNARDO: *Quem era o* mão grossa *e quem era o* mão lisa*?*

JOÃO PEDRO: O *mão grossa* era quem pegava na enxada, o trabalhador rural, o agricultor. O *mão lisa* era quem não trabalhava na roça, na agricultura, mas que se engajava no movimento vindo de outros setores sociais. O importante é que, mesmo que houvesse essas brincadeiras, havia um tratamento igualitário entre os membros do MST. Nunca ninguém disse: "Vocês, *mãos lisas*, esperem lá fora que vamos decidir e, depois, nos juntamos". Ou, ao contrário, o *mão lisa* nunca disse para o *mão grossa*: "Tu não sabes, deixe para nós que somos mais estudados". Todo mundo era igual e recebia o mesmo tratamento e as mesmas oportunidades. É claro que havia diferenciações culturais, de formação e de escolaridade. Mas nunca houve, dentro do movimento, rejeição ou estigmatismo do tipo "só pode entrar no movimento quem pega na enxada". Sempre se preservou a vinculação com a base, a compreensão de que o MST tem que ser feito pelos trabalhadores. Mas nunca se recusou a adesão dos que quisessem lutar pela reforma agrária. Foi essa generosidade ou essa amplitude que propiciou ao movimento criar os seus quadros orgânicos. Se tivesse se fechado em um movimento tipicamente camponês, só dos *mãos grossas*, teria caído facilmente no corporativismo, nos interesses apenas individuais. Esse caráter popular, de se abrir para outras profissões, sem discriminar, mas também sem perder as características de um movimento de trabalhadores rurais, acabou trazendo uma consistência que contribuiu para formar um movimento com organicidade e com uma interpretação política maior da sociedade.

BERNARDO: *Não precisava ser necessariamente trabalhador rural, mas estar comprometido com o trabalho voltado para viabilizar a vida no campo.*
JOÃO PEDRO: Exatamente. Todos estão subordinados a interesses sociais. É por isso que o MST não se desfigurou como movimento camponês.

BERNARDO: *Quanto à direção, esta tinha que ser exclusiva dos trabalhadores?*
JOÃO PEDRO: Não havia uma diferenciação sobre quem participava da direção política do tipo "direção é só para o *mão grossa, mão lisa* é só para apoio". Nunca houve essa separação. Porém, majoritariamente, a direção política era dos trabalhadores do campo.

BERNARDO: *Explicada essa característica popular do MST, quais seriam as outras duas características que ele incorporou a partir das lutas de massas, já que você falou anteriormente que elas são três?*
JOÃO PEDRO: Outra característica é o componente sindical. E sindical, aqui, no sentido corporativo. A possibilidade de conquistar um pedaço de terra é o que motiva uma família a ir para uma ocupação ou permanecer acampada por um período indeterminado. Nesse primeiro momento, é uma luta para atender, essencialmente, uma reivindicação econômica. Mesmo depois que a família está assentada, ela passa a lutar por créditos para a produção, por estrada, pelo preço de seu produto etc. Portanto, também há dentro do MST um componente sindical corporativo, que só interessa à categoria dos agricultores. Soubemos, de novo, nessa trajetória histórica, incorporar isso ao movimento. Teria sido até mais fácil dizer: "Nessa parte aí vocês se juntam no sindicato". Mas não. Percebemos que era da natureza do MST também fazer esse tipo de luta. Aprendemos essa lição com as outras lutas pela terra que nos antecederam.

Aprendemos ainda que a luta pela terra não pode se restringir ao seu caráter corporativo, ao elemento sindical. Ela tem de ir mais longe. Se uma família lutar apenas pelo seu pedaço de terra e perder o vínculo com uma organização maior, a luta pela terra não terá futuro. É justamente essa organização maior que fará que a luta pela terra se transforme na luta pela reforma agrária. Aí, já é um estágio superior da luta corporativa. É agregado à luta pela terra o elemento político.

BERNARDO: *Aqui aparece um novo elemento, o político, no MST. É isso?*
JOÃO PEDRO: É isso mesmo. É a terceira característica. O MST só conseguiu sobreviver porque conseguiu casar os interesses particulares, corporativos, com os interesses de classe. Se tivéssemos feito um movimento camponês apenas para lutar por terra, esse movimento já teria terminado. Qualquer movimento camponês que restringir sua luta ao aspecto corporativo, sindical, estará fadado ao fracasso.

Estão aparecendo agora vários movimentos de luta pela terra, motivados talvez pelo espaço que a reforma agrária ganhou na mídia. Nunca tivemos a pretensão de ser o único movimento nem os donos da verdade. Nem por isso deixaria de dizer que esses movimentos não irão longe se não derem um salto qualitativo na sua luta. Acabam no momento em que conquistarem a terra, ou o crédito agrícola, ou o líder se eleger vereador, porque eles existem para atender aos interesses pessoais, corporativos.

Essa terceira característica – o caráter político do movimento – sempre esteve presente, desde o início da organização. Tivemos a compreensão de que a luta pela terra, pela reforma agrária, apesar de ter uma base social camponesa, somente seria levada adiante se fizesse parte da luta de classes. Desde o começo sabíamos que

4. Lei 4.504, de 30 de novembro de 1964, promulgada pelo governo militar do mal. Castelo Branco. Redigida por um grupo de especialistas progressistas, entre eles José Gomes da Silva, foi muito importante para a história da reforma agrária por ser a primeira lei brasileira a tratar da questão da terra. Criou um organismo público para implementar a reforma agrária, o atual Incra, e consolidou o instituto legal da desapropriação de latifúndios pelo poder público.

5. Fundado em fevereiro de 1980, aglutinou desde seu nascedouro militantes oriundos de três correntes ideológicas: de organizações de esquerda, do movimento sindical e agentes de pastoral da Igreja. Formou-se como um partido classista, de base e de massas, pretendendo desenvolver-se como uma agremiação de esquerda não vinculada às tradições ortodoxas. É o principal partido de esquerda existente no país, com maior número de parlamentares, prefeitos e governadores eleitos na esquerda.

6. José Gomes da Silva (1924 - 1996). Agrônomo e fazendeiro exemplar no município de Pirassununga (SP). Sua fazenda recebeu várias distinções por produtividade e pela forma de tratamento dada aos empregados. Fundador da Associação Brasileira de Reforma Agrária (Abra, ver nota 19, p. 42), era considerado o maior especialista em reforma

não estávamos lutando contra um grileiro. Estávamos lutando contra uma classe, a dos latifundiários. Que não estávamos lutando apenas para aplicar o Estatuto da Terra[4], mas lutando contra um Estado burguês. Os nossos inimigos são os latifundiários e o Estado, que não democratiza as relações sociais no campo, não leva o desenvolvimento para o meio rural. Esse Estado está imbuído de interesses de classe. Acreditamos que o MST soube compreender e incorporar na sua ideologia, na sua doutrina, esse componente político.

Evidentemente que muita gente, tanto pela direita quanto pela esquerda, não consegue fazer uma interpretação correta desse caráter político do movimento. Simplificam com facilidade o componente político como se fosse apenas uma vocação partidária. Em vários momentos da nossa história houve quem afirmasse que o MST iria se tornar um partido político. Nunca esteve no horizonte do MST se transformar em partido político. Mas também nunca abrimos mão de participar da vida política do país.

BERNARDO: *O surgimento do MST, um movimento de luta pela terra que incorpora na sua atuação o elemento político, acontece praticamente no mesmo momento em que surge o Partido dos Trabalhadores (PT)[5], um partido político da classe trabalhadora. É um contexto histórico interessante. Como se deu a relação do MST com o PT?*

JOÃO PEDRO: Para nós, essa relação partidária sempre foi bastante clara. É uma relação de autonomia. Por acreditarmos no caráter classista do PT, ajudamos a fundá-lo em vários lugares. Muitas lideranças que surgiram da luta pela terra passaram a militar no partido, como dirigentes ou como parlamentares. A proposta de reforma agrária do PT também sempre esteve muito próxima à do MST. Algumas vezes, até mais radical.

Características e princípios

Lembro-me de uma vez em que José Gomes da Silva[6], membro da Secretaria Agrária Nacional do PT, defendeu enfaticamente que as propriedades rurais deveriam ser limitadas a um tamanho máximo de 500 hectares. Nossa proposta era de que esse limite fosse de mil hectares. Há uma proximidade quase natural entre um movimento com características popular, sindical e política, e a proposta política de um partido da classe trabalhadora. Esta proximidade nunca prejudicou a autonomia das duas organizações. Nunca misturamos as bolas. Eventualmente, em um ou outro lugar em que essa autonomia foi prejudicada, em que pessoas tenham se desviado da luta ou em que o PT não tenha assumido a luta pela terra, isso trouxe prejuízo para os dois lados. Ou o MST fracassou, ou o PT fracassou.

BERNARDO: *Não há então fundamento na afirmação do professor José de Souza Martins, em entrevista ao* Jornal Sem Terra[7], *que o MST é o maior partido camponês da América Latina?*

JOÃO PEDRO: Acho exagerada. Na minha opinião, o professor José de Souza Martins é o maior sociólogo das questões rurais do Brasil. Parece-me que ele, na entrevista citada, procura contrapor a diferença existente entre um movimento e uma organização. Ali, diz que a tendência de um movimento social é a de desaparecer uma vez atingidos seus objetivos ou perdida sua capacidade de pressionar. Ou se transforma em organização partidária ou de outro tipo. O MST, segundo o professor, já deixou de ser movimento e se transformou numa organização. Conseguiu dar estatura política a uma luta popular. Transformou-se num "partido popular agrário", nas palavras dele, apesar de não ter programa e organização propriamente partidários. Quais são os elementos que ele utiliza para justificar essa afirmação? É a forma como funcionamos. Mas isso não é necessariamente uma questão

agrária do país. Ajudou a redigir o Estatuto da Terra em 1964, a primeira lei de reforma agrária do país. Foi secretário da Agricultura de São Paulo (1982-1983) e presidente do Incra (1985). Faleceu em fevereiro de 1996.

7. Publicação mensal de divulgação do MST. Surgiu como boletim mimeografado, em 1981, em Porto Alegre, para levar solidariedade e divulgar a luta dos acampados na Encruzilhada Natalino (RS). Seguiu a trajetória do movimento da luta pela terra e, quando este se transforma em MST, passa a ser publicado, como seu porta-voz, em formato tabloide. A partir de 1985, com a instalação da Secretaria Nacional do MST em São Paulo, passa a ser editado na capital paulista. Em 1986, ganhou o Prêmio Wladimir Herzog de Direitos Humanos, do Sindicato dos Jornalistas Profissionais do Estado de São Paulo, por seu caráter. Há 18 anos é publicado ininterruptamente. É o jornal que retrata a luta pela reforma agrária de maior longevidade da história do movimento camponês no Brasil.

partidária. Essa discussão nos remete à anterior, sobre as características do MST. Queremos ser organizados com características populares, sindicais e políticas de outro tipo. Não somos uma organização partidária, nem queremos ser, nem devemos ser.

Outra coisa importante que assimilamos, seguindo os conselhos do próprio professor Martins, é ter abertura para aprender com os outros. Nunca tivemos pretensão de ser os primeiros. Não estamos inventando o fogo. Desde as primeiras lutas, sempre houve essa vocação de querer saber onde os outros erraram, onde acertaram. Com o objetivo de aprender, fizemos várias conversas, seja com os remanescentes dos líderes das Ligas Camponesas, da Ultab, do Master, seja com a CPT.

BERNARDO: *Cite alguns nomes dessas pessoas que ajudaram o MST.*

JOÃO PEDRO: Das Ligas Camponesas, conversamos com Francisco Julião[8]. Particularmente, eu já o havia conhecido no México (em 1976-1978). Conversamos também com Clodomir Santos de Moraes[9], Elizabeth Teixeira[10] e Manoel da Conceição[11], estes dois últimos ainda ativos. Se bem que o Manoel não era tão vinculado às Ligas. Ele atuou de 1968 em diante. Já era do sindicato. Também conversamos bastante com Lindolfo Silva[12], líder das Ultabs. Por sinal, ele nos deu uma boa contribuição como principal quadro do Partido Comunista Brasileiro (PCB) para o meio rural. Conversamos ainda com Miguel Presburguer, cuja origem é a militância nas Ultabs, antes do golpe de 1964, e que atuou muito na região de Goiás, e com Cândido Grzybowski[13], pesquisador de temas rurais. Enfim, tivemos o privilégio de aprender com várias pessoas que tiveram vinculação direta com a luta camponesa que nos antecedeu. Jair Calixto[14] foi outro com quem conversamos.

---

8. Francisco Julião (1915-1999), pernambucano, foi o primeiro advogado dos camponeses que se organizaram em ligas nos engenhos. Elegeu-se deputado federal pelo Partido Socialista Brasileiro (PSB). Passou a liderar as Ligas Camponesas, sendo sua principal expressão pública. Considerado brilhante orador, alinhava-se com os setores mais moderados. Com o golpe militar, foi perseguido e exilou-se no México, onde faleceu.

9. Advogado baiano, foi militante do PCB. Participou de uma dissidência política, que priorizou o trabalho junto às Ligas Camponesas, em vez das Ultabs. Teve muita influência sobre as Ligas, contrapondo-se à liderança de Julião. Elegeu-se deputado federal pelo PTB. Esteve preso em 1963, foi perseguido após o golpe militar e exilou-se. Trabalhou como consultor do Fundo das Nações Unidas para a Alimentação e Agricultura na questão da reforma agrária. Escreveu a história das Ligas Camponesas do Brasil e também um importante ensaio (*A teoria da organização no campo*) que fundamenta um método de desenvolvimento da consciência social, chamado "laboratório". De volta ao Brasil em 1980, tornou-se professor na Universidade da Rondônia e professor visitante da Universidade Autónoma de Chapingo – México.

10. Casada com João Pedro Teixeira, líder das Ligas Camponesas da Paraíba, assassinado em 1962 em Sapé (PB). Após

Características e princípios

BERNARDO: *Quem criou o termo "sem-terra"?*
JOÃO PEDRO: Já se usava essa expressão na Constituinte de 1946, quando foram realizados os primeiros debates sobre a necessidade de uma lei de reforma agrária. Nunca discutimos a origem do termo no movimento. Acredito que a marca, o nome, foi a imprensa que de fato adotou, batizando como "Movimento Sem Terra", seja na época do Master, seja mais tarde, quando retomamos a luta com a ocupação da Fazenda Macali e com as outras lutas, em diversos Estados.

BERNARDO: *Voltando à formação do MST, quem mais contribuiu na sua gênese?*
JOÃO PEDRO: Sempre tivemos essa abertura para aprender com os outros, desde o início do movimento. Seja com as organizações do Brasil, seja com as organizações camponesas da América Latina, embora com estas um pouco mais tarde. Os movimentos camponeses da América Latina sempre foram mais fortes, com uma tradição maior de luta do que os do Brasil. Isso porque nos outros países havia camponeses antes do que no Brasil. Aqui, basicamente, o camponês se formou depois da escravidão, com a imigração europeia. O que mais aprendemos com as organizações camponesas que nos antecederam, no Brasil e na América Latina, foi que no desenvolvimento do movimento, apesar de ser camponês e possuir um caráter social, deveríamos nos preocupar em aplicar alguns princípios organizativos. Por quê? Porque esses princípios, se respeitados, iriam garantir a perenidade da organização. Não são normas, não são sugestões. São princípios. Quais são, então, os princípios organizativos que aprendemos com os outros? Foram os seguintes: primeiro, ter uma direção coletiva, um colegiado dirigente. Movimento camponês com um presidente só tem dois caminhos: ou ele vai ser assassinado, ou vai ser um traidor. Para que ter presidente

o assassinato, assumiu a liderança da Liga, desenvolvendo inúmeras atividades organizativas. Com o golpe militar, teve de fugir e esconder sua identidade até 1984, vivendo clandestinamente.

11. Líder do movimento camponês maranhense no final da década de 1960. Dirigiu o Sindicato dos Trabalhadores Rurais de Pindaré-Mirim. Foi preso, torturado (por isso, veio a perder uma perna) e exilado. No retorno do exílio (1980), ingressou no PT e concorreu a diversos cargos públicos em Pernambuco e no Maranhão. Foi um dos principais dirigentes da Ação Popular (AP) no meio rural durante a ditadura militar. Hoje reside no município de Imperatriz (MA), onde participa de uma entidade de assessoria: Centru.

12. Militante do Partido Comunista desde jovem. Originário do Rio de Janeiro, foi deslocado pelo partido para organizar os camponeses nas Uniões de Lavradores (Ultabs). Eleito o primeiro presidente da Contag em 1963, numa chapa de composição. Com o golpe militar, foi deposto. Amargou o exílio até 1980.

13. Sociólogo, professor da Fundação Getulio Vargas/RJ e pesquisador de temas rurais. Tem diversos ensaios abordando a questão agrárias e os sem-terra. Atualmente é coordenador do Ibase, no Rio de Janeiro.

14. Prefeito da cidade de Nonoai (RS) no início da década de 1960, pelo

se tu já sabes o destino? Todos os presidentes, mesmo os menos reformistas, podem ser facilmente cooptados, tanto para cima, para atender a vaidade pessoal, como para baixo, traindo sua classe. Não nos faltam exemplos na história de lideranças que se aproveitaram da projeção conseguida junto às organizações sindicais ou populares para ocupar um cargo de deputado ou de prefeito. Há os que disputam e ocupam esses cargos para fazer a luta de classes avançar. Mas há os que os ocupam somente para proveito próprio. Estes, digo que foram cooptados para cima.

BERNARDO: *O movimento criou, de certa forma, uma cultura política?*
JOÃO PEDRO: Ele criou uma prática política, que não sei se pode ser generalizada. Devido à extensão do termo, também não sei se podemos chamar de uma cultura política. Acho que ainda não. Internamente, o movimento criou uma prática política diferenciada dos outros movimentos. Nós a chamamos de princípios organizativos. Friso que não inventamos nada. Aprendemos com a experiência histórica de outras organizações de trabalhadores e achamos que aí está o segredo da organização e da sua perenidade. A luta pela terra poderia ter se subdividido em 200 movimentos de sem-terra, pois todo mundo pode lutar por uma causa justa. Não tem de ser necessariamente no MST. Isso não é uma religião, que obriga todos os que queiram lutar pela reforma agrária a entrar no MST. Tanto é que assimilamos isso no discurso. Ótimo que tenha muita gente lutando pela reforma agrária. Agora, dentro do MST, para o movimento crescer e se ampliar, é necessário aplicar permanentemente seus princípios organizativos.

BERNARDO: *Quanto à questão dos princípios organizativos do MST, você já citou um – a direção coletiva. Quais são os outros?*

PTB. Político carismático e populista, era vinculado ao então governador Brizola (cf. nota 5, p. 13). Como o município de Nonoai, na região do Alto Uruguai gaúcho, possuía muitas famílias de sem-terra, Calixto identificou-se com elas. Acabou se transformando num dos principais dirigentes do Master (cf. nota 4, p. 17). Foi perseguido pela ditadura militar e caiu no ostracismo. Migrou para o Estado de Rondônia na década de 1970, onde veio a falecer.

João Pedro: O segundo princípio é o da divisão de tarefas, que permite à organização crescer e trazer para dentro dela as aptidões pessoais. Aprendemos que a primeira pergunta que se deve fazer para o militante é a seguinte: "O que tu gostarias de fazer dentro do MST?" No conjunto, surge uma diversidade de aptidões e de habilidades. Isso faz com que a organização cresça, porque a pessoa se sente bem, se sente feliz com o que faz. Imagine que sacrifício seria pedir para um professor organizar uma cooperativa ou a ocupação de um latifúndio? Certamente, pelas características pessoais, não se sentiria bem. Agora, se ele gosta de ser professor ou pesquisador, é nessa área que irá contribuir com o MST. Isso só é possível se houver de fato uma divisão de tarefas dentro da organização. Aquela organização centralizada na mão de uma pessoa ou de um pequeno grupo de pessoas não permite essa riqueza. Não abre espaço para receber todos os que querem contribuir com a luta. Há pessoas que já se aposentaram e nos procuram porque querem militar no MST. Isso é fantástico! Não só pelo trabalho que essas pessoas farão dentro do movimento, mas também porque é uma demonstração da confiança que elas têm na organização e, sobretudo, porque acreditam no ideal da nossa luta.

Bernardo: *Realmente isso é extraordinário. A riqueza, a força de uma organização social está na identificação que a sociedade tem com ela. Qual é o outro princípio que vocês procuram aplicar?*
João Pedro: É a questão da disciplina. As Ultabs nos ensinaram muito sobre isso. Se não houver um mínimo de disciplina, pela qual as pessoas respeitem as decisões das instâncias, não se constrói uma organização. Isso é regra da democracia. Não é militarismo ou autoritarismo. Muito ao contrário. Repito, até para combater certos desvios basistas, que a democracia também exige normas ou regras para serem seguidas. Ninguém defende mais

a democracia do que a classe trabalhadora. Ela luta permanentemente para conquistá-la e preservá-la. Ao contrário, o Estado burguês, para preservar o poder de uma minoria da população, é, por natureza, antidemocrático. Faz regras e normas com essa natureza.

A regra da disciplina é aceitar as regras do jogo. Se entro num movimento mas não me submeto à sua organização interna, com certeza ele não vai para a frente, nunca. Aprendemos até com os times de futebol ou com a Igreja Católica, que é uma das organizações mais antigas do mundo. Qual é o segredo? Um, certamente, é a disciplina dos seus membros. Claro que depende de que a pessoa aceite voluntariamente. E, estando na organização de livre vontade, tem de ajudar a fazer as regras e a respeitá-las, tem de ter disciplina, respeitar o coletivo. Senão a organização não cresce.

O estudo é outro princípio que aprendemos e procuramos aplicá-lo da melhor forma possível. Se tu não aprenderes, não basta a luta ser justa. Se não estudares, consequentemente nem tu nem a organização irão longe. O estudo nos ajuda a combater o voluntarismo, esse negócio de "deixa que eu chuto". Isso não resolve. O jogador de futebol, por mais craque que seja, tem de treinar pênalti todos os dias depois do treino tático. Senão vai errar. Na luta social é a mesma coisa: tem de estudar. Isso nos disseram todos os líderes com quem conversamos e que possuem uma experiência histórica de lutas.

BERNARDO: *É por isso que o MST tem uma preocupação permanente com o estudo?*
JOÃO PEDRO: Com o estudo e, especificamente, com a formação de quadros, que é o nosso quinto princípio. Nunca terá futuro a organização social que não formar os seus próprios quadros. Ninguém de fora da organização vai formar os quadros para nós. Precisamos de quadros técnicos, políticos, organizadores, profissionais de todas as

áreas. Isso também nos disseram, com muita insistência, os que nos precederam na luta. Fomos nos dando conta disso na prática. Vimos que esses princípios são princípios mesmo. Quando não são aplicados, as deficiências da organização aparecem imediatamente.

Outro princípio: a nossa luta pela terra e pela reforma agrária – já havíamos descoberto por nós mesmos – só avançará se houver luta de massas. Se nos contentarmos com uma organização de fachada, sem poder de mobilização, ou se ficarmos de conchavos com o governo ou esperando pelos nossos direitos, só porque eles estão escritos na lei, não conquistaremos absolutamente nada. O direito assegurado na lei não garante nenhuma conquista para o povo. Ele só é atendido quando há pressão popular. Assim, a cooptação é a primeira arma que a burguesia utiliza contra a organização dos trabalhadores. Só depois ela utiliza a repressão. Ela procura neutralizar nossa força com a cooptação, entregando-nos algumas migalhas ou paparicando líderes vaidosos, personalistas ou ideologicamente fracos. O povo só conseguirá obter conquistas se fizer luta de massas. É isso que altera a correlação de forças políticas na sociedade. Senão o próprio *status quo* já resolvia o problema existente. Um problema social só se resolve com luta social. Ele está inserido na luta de uma classe contra a outra.

BERNARDO: *Há algum outro princípio que dá consistência à organização?*
JOÃO PEDRO: O sétimo princípio é a vinculação com a base. Por mais alto nível que tenha um dirigente, por mais estudado que seja, por mais combativo e lutador que demonstre ser, se não mantiver o pé no chão, se não mantiver atividades de base, se não mantiver vínculos com a sua base social, não irá longe. Em outras épocas do movimento, chegamos a ser mais rigorosos. Exigíamos que determinado percentual, mesmo da Direção Nacio-

nal, morasse em assentamentos, o que necessariamente não significa estar com a base social. É preciso criar mecanismos para ouvir, consultar, se abastecer da força e da determinação do povo. Todos erram menos quando ouvem o povo.

BERNARDO: *Esse princípio é mantido até hoje?*
JOÃO PEDRO: Mas é claro! Sem essa prática, a organização não se sustenta. É a aplicação desses princípios que dá ao movimento a força de uma organização política. Acredito que, quando o professor José de Souza Martins diz que nos transformamos num "partido" camponês, embora discorde da expressão, acho que ele pode estar influenciado pelo fato de que, como movimento social, aplicamos esses princípios organizativos. Na minha opinião, esses princípios não têm natureza partidária. Têm natureza de organização social. Talvez aí sim coubesse uma polêmica: até que ponto o MST deixou de ser apenas um movimento social de massas para ser também uma organização social e política. No fundo, queremos ser mais do que um movimento de massas. Queremos ser uma organização social que dê sustentação e que alcance o nosso objetivo futuro. Se essa organização social é simplesmente interpretada como sinônimo de partido político, aí ocorre um reducionismo. Não acredito que seja essa a intenção do professor.

BERNARDO: *Que outros aspectos você gostaria de abordar no que diz respeito à gênese do MST?*
JOÃO PEDRO: O debate sobre a data de fundação do MST. Falamos anteriormente que o movimento teve origem em vários Estados da região Centro-Sul. Consideramos, porém, janeiro de 1984 a data de fundação do MST, quando se formalizou como um movimento nacional. De 21 a 24 de janeiro daquele ano, na cidade de Cascavel (PR)[15], realizamos o I Encontro Nacional

15. Cidade do oeste do Paraná. Região colonizada na década de 1950 por migrantes sulistas. Desde aquela época, sempre foi palco de conflitos de terra. A região era base de movimentos pela terra no Paraná e, por isso, possuía uma carga simbólica muito grande. O Encontro foi realizado nas dependências do Seminário Diocesano da Igreja Católica.

CARACTERÍSTICAS E PRINCÍPIOS

do Movimento dos Trabalhadores Rurais Sem Terra, com 80 representantes de 13 Estados. Definimos, nessa ocasião, os princípios, quais as formas de organização, nossas reivindicações, estrutura e formas de luta do movimento. Já estavam presentes algumas ideias fortes de nossa organização.

BERNARDO: *Fale sobre a definição da gênese e da natureza do MST no decorrer de seus encontros e congressos.*
JOÃO PEDRO: Até 1999, realizamos nove encontros e três congressos nacionais. A primeira grande reunião de articulação regional aconteceu em Medianeira (PR)[16], em julho de 1982. Lembro-me bem da data por causa da Copa do Mundo. Justamente na volta do Encontro – um domingo –, não pudemos utilizar a balsa para atravessar o rio, no Parque do Iguaçu, porque seus responsáveis estavam assistindo ao jogo final da Copa, entre a Alemanha e a Itália. Esperamos uma hora e meia, tempo que gastamos apostando em quem ganharia o jogo.

BERNARDO: *Quantas pessoas eram?*
JOÃO PEDRO: Éramos 11 pessoas em uma kombi velha que eu tinha. Imagine sair do Rio Grande do Sul e ir até Medianeira, no Paraná, com 11 pessoas amontoadas dentro de uma kombi velha. Quase fundiu o motor. Foi uma aventura nas condições da época. Essa foi a primeira reunião de articulação das lutas pela terra existentes na época, em que pessoas de diversas lutas se conheceram. Nessa reunião conheci Claus Germer[17].

BERNARDO: *Ele já era secretário da Agricultura do Paraná?*
JOÃO PEDRO: Não. Ele virou secretário depois das eleições que iriam ocorrer em novembro de 1982. José Richa[18], na época no PMDB, ganhou e o escolheu para ser secretário da Agricultura. Claus assumiu em março de

16. Município do oeste do Paraná, localizado entre as cidades de Cascavel e Foz do Iguaçu. É um dos berços do MST no Paraná em função da existência de muitas famílias de sem-terra, da luta dos desalojados pela Itaipu e do apoio das igrejas e do Sindicato de Trabalhadores Rurais local.

17. Agrônomo e antigo militante da reforma agrária. Foi secretário da Agricultura do Paraná no governo de José Richa (1983-1987) e delegado da Associação Brasileira de Reforma Agrária (Abra, cf. nota 19, p. 46). Assessorou a CPT-PR e as primeiras articulações dos sem-terra no Estado. Atualmente é professor de economia na Universidade Federal do Paraná, em Curitiba.

18. Ex-senador e ex-governador do Paraná (1983-1986).

1983. Na época da reunião, em 1982, ele era professor da Universidade Federal do Paraná e assessor da CPT e da Abra (Associação Brasileira de Reforma Agrária)[19]. Foi a Medianeira dar uma palestra sobre a conjuntura e lá ficou mais tempo.

Nesse encontro, veio o pessoal do Mastro (Movimento de Agricultores Sem Terra do Oeste do Paraná)[20] e do Mastes (Movimento de Agricultores Sem Terra do Sud este do Paraná), cada um com uma sigla. Foi lá que também conheci o pastor Fuchs. Foi um encontro de autoconhecimento. Aliás, esses primeiros encontros se caracterizavam pela troca de experiências, numa fase em que a repressão agia sobre nós. Serviram muito para a gente se conhecer e, ao mesmo tempo, trocar experiências. "Conta como que foi lá a ocupação da Macali (RS), da Itaipu (PR) ou de Naviraí (MS)." Depois vinha a síntese, que já era o resumo das experiências. Posteriormente, em setembro de 1982, foi realizado em Goiânia (GO) um encontro de caráter nacional, formado por agentes de pastoral e lideranças.

BERNARDO: *Qual foi o papel da CPT nesse encontro de Goiânia?*

JOÃO PEDRO: Nesse encontro aconteceu um debate muito interessante. Apareceu a proposta de que a CPT deveria constituir internamente uma comissão de luta pela terra. Seria uma espécie de comissão de sem-terra. Ideologicamente, esse foi o debate principal. Daniel Rech[21], da própria CPT, foi uma das pessoas que se posicionaram de forma mais contundentemente contra essa proposta. Ele teve a percepção política de que era importante os trabalhadores rurais sem terra terem sua própria organização. Ele conversava muito com o professor José de Souza Martins. Acho que ele sacou que, se tivesse sido formada uma comissão de sem-terra dentro da CPT, já teria nascido com um caráter muito vinculado à Igreja. Foi muito importante a ideia de que os trabalhadores rurais

19. Entidade de pesquisa, estudo e assessoria dedicada à divulgação da causa da reforma agrária. Fundada em 1968 por um grupo de técnicos, intelectuais e professores universitários, preocupou-se em manter viva a chama da reforma agrária, mesmo sob a ditadura militar. Entre seus fundadores estava José Gomes da Silva (cf. nota 6, p. 36). A Abra edita a revista *Reforma Agrária*, considerada a principal publicação científica brasileira sobre o tema. Sua sede funcionou muitos anos em Campinas e, atualmente, está em Brasília.

20. Primeiro movimento de sem-terra da região oeste paranaense. Sucedeu o movimento dos atingidos pela barragem de Itaipu. Funcionou apenas no período de 1982 a 1984. Depois, com a formação do MST, foi aglutinado numa única sigla.

21. Advogado e assessor da CPT. No início da década de 1980, atuou no Secretariado Nacional da CPT, em Goiânia. Possuía muita influência nas atividades da CPT.

sem-terra deveriam se organizar de forma autônoma. Se esta ideia não tivesse sido vitoriosa, não teria surgido o MST. Ou surgiria mais tarde, em outras circunstâncias.

O primeiro Encontro Nacional é fruto de várias reuniões regionais preparatórias entre 1982 e 1983, nas quais teve participação importante dom José Gomes, bispo de Chapecó[22]. Ocorreu em Cascavel, em janeiro de 1984. Em termos de importância, no que diz respeito à reflexão de como a gente ia se articular daí em diante, eu acho que o Encontro de Cascavel foi fundamental. Ele foi muito importante. Ele fundou o movimento, definiu os dez objetivos e formalizou o que deveria ser o MST. E por trás dessa formalização houve debates ideológicos que foram importantes para o avanço da luta.

O primeiro debate foi sobre o nome do MST. A imprensa já nos chamava de Movimento dos Sem Terra, mas as lideranças não tinham essa disposição. Se fosse por votação, acho que passaria o nome de Movimento pela Reforma Agrária, já que era mais amplo do que apenas a luta pela terra. Fizemos uma reflexão profunda sobre o assunto e aproveitamos o apelido pelo qual já éramos conhecidos pela sociedade: "os sem-terra". Aprovamos por unanimidade o nome de Movimento dos Trabalhadores Rurais Sem Terra. Na verdade, a escolha do nome foi um debate ideológico. Paralelamente, fizemos uma reflexão no sentido de que deveríamos resgatar o nosso caráter de classe. Somos trabalhadores, temos uma sociedade com classes diferentes e pertencemos a uma delas. Esse foi o debate. Não foi só uma escolha de nome porque achávamos mais bonito assim ou simplesmente para nos diferenciar, dizendo: "Os sem-terra somos nós".

BERNARDO: *Quem criou a referência ao termo? A imprensa ou os próprios trabalhadores?*
JOÃO PEDRO: Na minha opinião, foi a imprensa, e de forma bastante variada. Por exemplo: a imprensa gaúcha nos

---

22. Cidade do extremo oeste de Santa Catarina, considerada a capital brasileira da avicultura. A Diocese de Chapecó é dirigida pelo bispo dom José Gomes, que atuou na CPT. É um ativo estimulador da organização dos sem-terra e dos pequenos agricultores. Disso decorre o apoio decisivo das estruturas da Igreja local aos movimentos populares. Dom José é considerado pelo MST o "bispo dos sem-terra".

chamava de "colonos sem terra"[23]. E colonos certamente não é uma expressão nacionalizada. É utilizada na região Sul, com mais força no Rio Grande do Sul.

BERNARDO: *Alguns intelectuais chamavam de camponeses sem terra.*
JOÃO PEDRO: Essa é uma expressão mais elitizada, acadêmica, embora mais bonita.

BERNARDO: *Chegou a se chamar "agricultores sem terra", no caso do Master, e, agora, "trabalhadores sem terra".*
JOÃO PEDRO: No Norte e no Nordeste, a CPT costumava chamar de lavrador, mas esse nome nunca pegou. Retornando ao I Encontro Nacional, em Cascavel, ele, além de fundar o movimento, definir o seu caráter, escolher uma coordenação, constatou a necessidade de fazer o primeiro Congresso Nacional. Nesse Encontro, estavam presentes 13 Estados, com uns cem participantes. Tínhamos consciência da nossa pouca representatividade. Marcamos o Congresso para janeiro de 1985, em Curitiba (PR), com a decisão de convidar todo mundo que estava fazendo luta pela terra no Brasil. Enfim, todos os que quisessem entrar no movimento.

Vou abrir um parêntese, porque é importante registrar esse fato na nossa história. Um sujeito da Aeronáutica tinha se infiltrado na reunião. Essa pessoa se apresentou como sendo de Roraima e enviada pela CPT. Não o conhecíamos, mas ele acompanhou todo o Encontro. Pelo jeito, não adiantaram muito os relatórios que ele deve ter preparado para os serviços de inteligência...

Marcamos o Congresso para ter uma maior representatividade e convocar todo mundo que quisesse lutar pela terra e topasse construir o movimento. O grande debate que houve nesse I Encontro foi a concepção de movimento. Juntamos pessoas de 13 Estados, mas ainda não estava clara a concepção dessa organização. Cada um tinha sua

---

23. Colono é uma palavra muito utilizada no sul do país como sinônimo de pequeno agricultor. A origem vem dos primeiros camponeses que chegaram como imigrantes da Europa, no fim do século 19 e início do século 20. Cada camponês imigrante recebeu do governo uma área de terra correspondente a 25 hectares, que foi denominada de "colônia". Por isso seu ocupante passou a ser chamado de colono. No Estado de São Paulo, "colono" foi uma designação sociológica para a relação social estabelecida nos cafezais entre os grandes proprietários e os camponeses imigrantes. Colonato era uma forma de parceria, em que o camponês imigrante recebia determinado número de filas de café para cuidar. Em troca, recebia do patrão uma casa e autorização para cultivar para seu próprio uso uma pequena parcela de terra.

experiência, sua visão de mundo. O padre Arnildo tinha a dele, eu a minha, e assim por diante. A questão da participação da Igreja ainda não estava resolvida, mesmo porque havia a experiência do Movimento Terra e Justiça contra a barragem de Itaipu, em que a marca dela era forte. Tinha também o trabalho do pastor Fuchs, da Igreja Luterana, que foi uma experiência positiva. Isso fazia com que alguns quisessem um movimento ligado à Igreja. Outros argumentaram contra essa ideia. Novamente a CPT teve um papel importante, defendendo que os trabalhadores deveriam ter sua própria organização.

Uma segunda coisa é que estavam presentes muitos presidentes de sindicatos que estimulavam as lutas locais. Estava lá, por exemplo, Geraldo Pastana[24], figura histórica da luta pela terra no Brasil. Na época, ele era o presidente do Sindicato dos Trabalhadores Rurais de Santarém. Esse sindicato era uma espécie de expressão do novo sindicalismo – o combativo – que estava surgindo no Brasil.

Havia muito presidente de sindicato que achava que a luta pela reforma agrária deveria ser feita por dentro dos sindicatos, o que não era o caso de Pastana. Diziam: "O sindicato é para isso". Novamente a experiência concreta foi determinante, e essa ideia também foi derrotada. Dessa vez quem teve um papel importante foi Ranulfo Peloso[25], dirigente do Sindicato de Santarém e da CPT, que já percebia que a luta pela terra não poderia ser municipalizada.

BERNARDO: *O sindicato tem uma base territorial que pode ser municipal ou agregar alguns municípios. O MST quebra com essa base territorial e, depois, cria bases territoriais que não obedecem à divisão das unidades da Federação. Ele cria uma outra base geográfica.*

JOÃO PEDRO: É a lógica da luta. Retornando novamente ao I Encontro Nacional, ele foi realmente fundamental

24. Pastana participou do Encontro de fundação do MST como presidente do Sindicato dos Trabalhadores Rurais de Santarém (PA). Na época, essa entidade era uma referência do sindicalismo rural combativo. Elegeu-se deputado estadual e, mais tarde, deputado federal. Foi candidato a vice-governador do Estado do Pará nas eleições de 1998.

25. Militante sindical e educador popular. Participou do I Encontro Nacional do MST na condição de dirigente do Sindicato dos Trabalhadores Rurais de Santarém (PA), no qual contribuiu como assessor político. Desligou-se do sindicato e mudou-se para São Paulo, onde passou a assessorar movimentos sociais e sindicais nas áreas de educação popular e pedagogia de massas.

porque definiu a concepção do movimento. Majoritariamente, acreditávamos que um movimento de luta pela terra, pela reforma agrária, só daria certo se fosse um movimento de massas. Não podia ser nem um movimento de sindicato nem da Igreja. Por último, adotou-se a concepção de que o movimento deveria ser independente, manter sua autonomia.

Sem dúvida, isso marcou o I Encontro: a decisão de que deveria ser um movimento de lutas de massas. Isso porque o sindicato estava acostumado a fazer carta de reivindicação ao Incra (Instituto Nacional de Colonização e Reforma Agrária). Essa era a prática sindical da época. A Contag, em todos os seus congressos, mesmo na época da ditadura militar – o que é um fato positivo –, sempre apresentava a reivindicação da reforma agrária. Foi o MST, no entanto, que cristalizou a luta de massas como uma necessidade. "Esse negócio de assembleia, de abaixo-assinado para o governo, de audiência, isso não resolve", era o que pensávamos. Poderia até ser um aprendizado pedagógico para as massas, mas, se não houvesse luta de massas, a reforma agrária não avançaria. Tínhamos seis anos de lutas, e, se havia dado certo até aquele momento, era porque o povo havia se envolvido. Essa era a nossa experiência.

Nesse I Encontro Nacional também definimos os nossos objetivos em dez pontos, como se fosse uma plataforma de luta. Na verdade, os dez pontos resumiam nosso programa. O movimento era para lutar por terra, mas decidimos fazer também a luta pela reforma agrária e por mudanças sociais, porque vivíamos o clima das lutas pela democratização do país.

Outra coisa que assimilamos desde o início foi a necessidade de defender as terras indígenas. Alguém poderia perguntar: "Como é que um movimento camponês vai defender terra de índio?" Já era outra marca ideológica do MST. Queremos a demarcação das terras indígenas.

CARACTERÍSTICAS E PRINCÍPIOS

Outro ponto que constava nos objetivos era o de estimular a participação no movimento sindical e nos partidos políticos, garantindo a autonomia da organização. A autonomia aparece nos objetivos como uma ideia muito forte.

Um outro objetivo importante que definimos foi o de lutar pela reforma agrária nas terras das multinacionais. Aparecia nesse objetivo o caráter anti-imperialista do movimento. Era a consciência de que estrangeiro não poderia ter terra aqui enquanto houvesse um brasileiro sem terra. Esse é o resumo do I Encontro Nacional.

BERNARDO: *No ano seguinte, em 1985, foi realizado o I Congresso Nacional. Como foi esse evento e qual o significado dele para o MST?*
JOÃO PEDRO: O I Congresso Nacional foi realizado em janeiro de 1985, em Curitiba (PR), com 1.600 delegados. Nesse Congresso, a marca mais forte foi a decisão política de não nos iludirmos com a Nova República[26]. Toda a esquerda burocrática embarcou nessa canoa furada. O PCB apoiou – e olha que ele era forte na época. O PCdoB, outra força política de esquerda de então, também apoiou. Ambos os partidos deram o seu apoio a Tancredo Neves e se envolveram no seu governo. Já o PT era um partido recém-nascido, mas não apoiou. Boa parte da Igreja igualmente entrou nessa canoa, que, para nós, já estava furada. O pessoal de esquerda vinha dizer para a gente: "Vocês se acalmem que agora vai sair a reforma agrária". E crescia em nós a convicção de que a reforma agrária somente iria avançar se houvesse ocupação, luta de massas. Sabíamos que, mesmo com o novo governo, civil agora, não dava para ficar esperando pela boa vontade das autoridades. O povo deveria pressionar. Essa era nossa garantia. Daí surgiu a bandeira de luta "Ocupação é a única solução".

Esse foi o grande acerto. O movimento teria acabado se aderisse à Nova República naquele Congresso. O MST

26. Designação que a grande imprensa deu ao governo Tancredo Neves/ José Sarney, que substituiu o regime militar (1985-1989). Com o passar do tempo, a expressão foi ignorada pela própria imprensa que a criou.

era fraco, estava apenas no seu início. Se a gente se juntasse com uma força maior e reformista, a organização tinha acabado. A maioria dos superintendentes do Incra era do PCdoB e do PCB. Tínhamos que lutar contra eles, infelizmente.

BERNARDO: *Um ano depois, eles saem do governo da Nova República.*
JOÃO PEDRO: Um ano depois se deram conta de que os trabalhadores rurais tinham razão, e a Nova República era blefe.

BERNARDO: *Vamos voltar ao Congresso de 1985. Fale mais sobre ele.*
JOÃO PEDRO: O ponto-chave, como já falei antes, foi o de não fazer um pacto com a Nova República, coisa que uma parcela das esquerdas tinha feito. Recuperamos para as massas que só com a ocupação a reforma agrária poderia avançar. A turma saiu do Congresso, e começaram a pipocar grandes ocupações por todo o país. Foi, inclusive, a maior onda de ocupações que fizemos numa só região, a do oeste de Santa Catarina, em maio daquele ano. Enquanto o presidente José Sarney[27] e o ministro da Reforma Agrária, Nelson Ribeiro[28], estavam no Congresso da Contag prometendo mil coisas, ocupamos 18 fazendas numa semana no oeste catarinense, com 5 mil famílias. Nesse episódio, o MST mostrou sua cara. Foi praticamente uma revolução naquela região. Essas ocupações mobilizaram mais de 40 municípios. Foi um rebuliço. As massas entenderam que não poderiam ficar esperando o governo e que havia espaço democrático, mas que só ocuparia esse espaço quem conseguisse se mobilizar e lutar.

Outra lição que aprendemos é que não deveríamos misturar a disputa eleitoral interna com a realização dos encontros e congressos nacionais. Não queríamos dispersar esforços, jogar fora recursos e gastar o trabalho

---

27. Com a morte de Tancredo Neves, José Sarney assumiu o cargo de presidente. Governou o país de 1985 a 1990.

28. Foi o primeiro ministro da Reforma Agrária durante o governo Sarney. Nelson Ribeiro construiu sua trajetória política no Estado do Pará, onde fora diretor do Banco do Estado. Demitiu-se um ano depois. Foi sucedido por Marcos Freire, ex-senador do PMDB de Pernambuco, que faleceu poucos meses depois num estranho acidente aéreo no aeroporto de Carajás, sul do Pará. Assumiram o Ministério posteriormente Dante de Oliveira, de Mato Grosso, e Jáder Barbalho, do Pará, todos durante o governo Sarney. Ao final do governo, o Ministério foi extinto e recriado no governo Fernando Henrique (1996) como Ministério Extraordinário.

da organização simplesmente para preencher cargos nas direções. Não queríamos seguir o exemplo de algumas organizações de esquerda que fazem das eleições internas um fim em si. Dessa forma, priorizamos os eventos nacionais para reunir os militantes de todo o país, discutir as linhas gerais da política do movimento e promover uma grande confraternização cultural e festiva.

BERNARDO: *Qual foi o outro Encontro Nacional que mais marcou a história no MST?*
JOÃO PEDRO: O quinto, realizado em 1989 num clima de agitação muito grande, porque aconteceu naquela perspectiva de eleger o Lula presidente da República. Ocorria um crescimento do movimento de massas em geral, principalmente da CUT (Central Única dos Trabalhadores)[29] e do PT. Em São Paulo, Luiza Erundina havia sido eleita prefeita em 1988. Pessoas de esquerda também foram eleitas em outras capitais. O ano de 1989 foi de efervescência política. Nesse Encontro Nacional, realizado no Seminário de Nova Veneza[30], no município de Sumaré (SP), definimos a palavra de ordem "Ocupar, resistir e produzir". "Ocupar, resistir e produzir" fortaleceu o sentimento de que tínhamos de gerar uma nova sociedade nos assentamentos, organizar a produção, ter um modelo para a agricultura. Paralelamente, havia essa vontade política de eleger o Lula, ajudar a mudar o Brasil.

Outro momento importante de nossa história foi o II Congresso Nacional, realizado em Brasília (DF), em 1990, já no governo Collor[31]. Percebemos que com ele na presidência a repressão seria maior, tanto é que o Congresso estava marcado originalmente para janeiro de 1990 e acabamos realizando-o em maio. A transferência ocorreu até por dificuldades decorrentes da derrota política que os trabalhadores sofreram com a eleição de Collor. A vitória dele não foi só eleitoral. Mas sim uma derrota política para toda a classe tra-

29. Fundada em agosto de 1983, em São Bernardo do Campo (SP), reúne os sindicatos mais combativos do interior e do meio urbano.

30. Pertencente à congregação dos capuchinhos, o seminário está desativado atualmente.

31. Fernando Collor de Mello, eleito presidente da República em 1989, na disputa com Luiz Inácio Lula da Silva. Governou o país de 1990 a 1992. Foi acusado de corrupção, gerando um forte movimento popular que resultou num processo judicial que o afastou da presidência.

balhadora. Particularmente, sofremos muito durante o seu governo. Foi o pior governo que tivemos, não só pela corrupção que ele simbolizou, mas sobretudo pela forma como tratou as organizações sociais e as questões sociais do país.

BERNARDO: *Na questão da reforma agrária, isso se evidencia muito bem. Foi o período em que menos assentamentos foram feitos.*

JOÃO PEDRO: Além de não termos conquistas, ele estava determinado a reprimir o movimento. A Polícia Federal invadiu as secretarias estaduais do MST e levou documentos, foram instalados processos judiciais e encaminhados pedidos de prisão contra nós. Ele estava determinado a acabar com o MST.

O Congresso Nacional de maio de 1990 refletiu um pouco esse sentimento. Não mudamos a palavra de ordem, mas nos agarramos mais no "resistir". Percebemos que a luta de massas iria ser mais dura, que seria o período de construir organicamente melhor os assentamentos. Gastamos mais tempo no debate sobre a construção do Sistema Cooperativista dos Assentados (SCA), de onde surgiu a Confederação das Cooperativas de Reforma Agrária do Brasil (Concrab)[32]. Tivemos de nos voltar para dentro de nós mesmos, como uma forma de fortalecer o MST, para resistir ao inimigo.

BERNARDO: *Vem então o Encontro Nacional de 1991, depois o Encontro de 1993 e o III Congresso Nacional, em 1995. O que mudou? A palavra de ordem "Reforma agrária é uma luta de todos"?*

JOÃO PEDRO: Essa foi no Congresso de 1995.

BERNARDO: *Quando surgiu a palavra de ordem "Ocupação é a única solução"?*

JOÃO PEDRO: No Congresso Nacional de 1985.

---

32. Fundada em maio de 1992, foi organizada pelo MST a partir de aproximadamente 55 cooperativas de produção e comercialização, que operam na base, e de sete cooperativas centrais estaduais. Tem por objetivo a representação política dos assentamentos ligados ao MST, bem como coordenar a organização da produção em todos os assentamentos.

BERNARDO: *Quais eram as palavras de ordem de 1984, ano de fundação do MST, conforme você disse anteriormente?*
JOÃO PEDRO: Mantivemos "Terra para quem nela trabalha", que era da CPT. Havia uma outra que, às vezes, aparece em fotos: "Terra não se ganha, terra se conquista". Somente no Congresso de 1985 começamos a ter mais unidade, e aí vem "Ocupação é a única solução".

BERNARDO: *Essas palavras de ordem retratam períodos históricos do MST?*
JOÃO PEDRO: De certa forma, sim. No Congresso de 1985, tinha uma outra palavra de ordem que não pegou muito: "Sem reforma agrária não há democracia". De 1989 a 1994, nossa palavra de ordem foi "Ocupar, resistir, produzir", ora com um peso mais na resistência, ora mais na produção.

BERNARDO: *Qual foi a grande marca do III Congresso, em 1995?*
JOÃO PEDRO: A luta contra o neoliberalismo do governo FHC. Nossa reflexão nos levou à conclusão de que, para conquistar a reforma agrária, tinha de mudar o plano neoliberal. Ou seja: a reforma agrária depende das mudanças no modelo econômico. Para ela avançar, é necessário que toda a sociedade a abrace como uma luta legítima dos sem-terra, dos pobres do campo, com reflexos positivos para a própria sociedade. Foi ali, então, que sistematizamos a palavra de ordem "A reforma agrária é uma luta de todos".

Com o Congresso de 1995, aprendemos, do ponto de vista orgânico, que era possível fazer encontros mais massivos. Além de ter sido importante, em termos de amadurecimento político do movimento, foi um Congresso com 5 mil delegados em condições precárias de alojamento, acomodações e alimentação. Fomos muito mal atendidos pelo governo petista do Distrito Federal, onde aconteceu o Congresso. Se soubéssemos que teríamos de fazer acampamento, nos prepararíamos para isso. Foi pior que um acampamento na beira de estrada. Apesar das deficiências materiais, do ponto de vista dos resultados políticos, foi um Congresso espetacular. O grande aprendizado foi a certeza de que é possível fazer encontros de massas.

De 1996 em diante, os Estados passaram a fazer grandes encontros de massas, com mais de mil pessoas. O mais recente Encontro Nacional, o IX, realizado em fevereiro de 1998, em Vitória (ES), também foi de massas. Sempre fazíamos encontros nacionais com 250 ou 300 delegados. Este último teve mais de mil participantes.

APRENDIZADO

BERNARDO: *Você ressalta muito o aprendizado obtido com lideranças que antecederam a luta do MST. Por quê?*
JOÃO PEDRO: É verdade. Primeiro, é uma questão de verdade histórica. A luta pela terra existe neste país desde que os portugueses aqui chegaram, em 1500. Como não reconhecer a herança que nos legaram os mártires de 500 anos de lutas? Não inventamos nada. A burguesia de hoje também não foi inventada, é resultado de 500 anos de exploração do povo brasileiro. Os que vieram antes cometeram erros e acertos. Procuramos aprender com eles, para não cometer os mesmos erros e repetir os acertos.

Em segundo lugar, precisamos restabelecer o valor da humildade. A burguesia, para manter a situação como está, procura constantemente alimentar um certo ufanismo brasileiro: temos "o melhor futebol do mundo", "a maior ponte do mundo", "a maior usina hidrelétrica do mundo", "o maior rio do mundo" etc. Às vezes, a classe trabalhadora cai na mesma armadilha, dizendo "a maior ocupação", "o maior movimento camponês da América", "o maior partido político" etc. De que vale isso? Nada, a não ser para alimentar o ego de alguns e esconder fragilidades e deficiências. Por exemplo, enquanto promove esse ufanismo tolo, a burguesia esconde que está destruindo o país como nação, esconde sua submissão política perante os países ricos, esconde a destruição que está promovendo na nossa cultura. Ficamos nos vangloriando de ser "o maior do mundo" enquanto, na verdade, estamos perdendo a identidade cultural.

Precisamos, sim, ter a humildade de aprender com os que nos antecederam. Estes só foram grandes porque aprenderam com os que vieram antes deles e foram coerentes com o passado que herdaram de outros lutadores. Nesse sentido, é importante fazermos o resgate histórico das nossas lutas. Isso nos dá a noção exata das limitações e do caráter temporário da nossa participação. Não inventamos o fogo nem a roda. O que queremos é aproveitar as invenções já existentes – o fogo e a roda – para construir um mundo melhor. Certamente essa luta continuará por meio dos que virão depois de nós. Esperamos ter condições e capacidade para deixar um legado de lutas útil. O MST é a continuidade de um processo histórico das lutas populares. Esperamos ser um elo com as lutas futuras. Este é o nosso papel histórico.

BERNARDO: *Uma coisa também singular no MST é que ele tem tanto a possibilidade e a experiência de construir o conhecimento como de colocá-lo em prática. O movimento constrói o seu espaço político e o seu conhecimento tendo por trás diversas pessoas, entre as quais você. Quais são os pensadores que influenciaram estas pessoas que constroem o MST?*

JOÃO PEDRO: Aí pode estar outra diferença nossa em relação à trajetória da esquerda, sempre muito dogmática no sentido das fontes em que se abastece. Esse dogmatismo na origem doutrinária resultava num sectarismo na prática política. É um caminho que se mostrou inviável, e em muitos casos significava simplesmente ficar copiando experiências. A prática concreta da luta pela reforma agrária nos ensinou que não se podia copiar experiências, porque cada espaço, cada realidade local, traz novos elementos que vão sempre se recriando a partir do conhecimento já acumulado. Há dois fatores que influenciaram a trajetória ideológica do movimento. Um é decorrente do fato de estar sempre muito ligado à realidade, ao dia a dia, o que nos obriga, de certa forma, a desenvolver uma espécie de pragmatismo. Não pragmatismo nas ideias, mas nas necessidades. Tu tens de utilizar o que dá certo, não podes ficar defendendo uma ideia pela ideia em si. Mas se ela dá certo ou não.

BERNARDO: *O MST não é doutrinário, na medida em que não defende ideias que não dão certo quando aplicadas à sua realidade.*
JOÃO PEDRO: É isso aí. A realidade nos cobra permanentemente, não adianta vir com a ideia pronta que não dá certo. O segundo fator que nos influenciou veio, digamos, da Teologia da Libertação. A maioria dos militantes mais preparados do movimento teve uma formação progressista em seminários da Igreja. Essa base cristã não veio por um viés do catolicismo ou da fraternidade. A contribuição que a Teologia da Libertação trouxe foi a de ter abertura para várias ideias. Se tu fizeres uma análise crítica da Teologia da Libertação, ela é uma espécie de simbiose de várias correntes doutrinárias. Ela mistura o cristianismo com o marxismo e com o latino-americanismo. Não é por acaso que ela nasceu na América Latina. Em suma, incorporamos dela a disposição de estar abertos a todas as verdades e não somente a uma, porque esta única pode não ser verdadeira. Todos os que se abasteciam da Teologia da Libertação – o pessoal da CPT, os católicos, os luteranos – nos ensinaram a prática de estar abertos a todas as doutrinas em favor do povo. Essa concepção de ver o mundo é que nos deu abertura suficiente para perceber quem poderia nos ajudar. A partir dessa concepção, fomos buscar nos pensadores clássicos de várias matrizes algo que pudesse contribuir com nossa luta. Lemos Lenin[1], Marx[2], Engels[3], Mao Tse-tung[4], Rosa Luxemburgo[5]. De uma forma ou de outra, captamos

1. Vladimir Illitch Ulianov (1870-1924), conhecido como Lenin, líder revolucionário russo, desenvolveu o marxismo aplicado à realidade de seu país. Foi um dos principais dirigentes da Revolução Russa, que triunfou em 1917. Produziu uma impressionante obra literária revolucionária. Foi o primeiro presidente da Rússia revolucionária.

2. Karl Marx (1818-1983), alemão de família judia. Filósofo, criou teorias que revolucionaram a concepção de mundo, ao desenvolver o materialismo histórico; na economia política, explicou o funcionamento do capitalismo. Advogou a necessidade de os trabalhadores se organizarem de forma independente e tomarem o poder de Estado, para construir um novo modo de produção, o comunismo.

3. Friedrich Engels (1820-1995), filósofo alemão. Foi parceiro de Marx na Inglaterra, onde possuía uma fábrica. Contribuiu para o desenvolvimento de teorias no campo da filosofia e da economia política. Foi quem editou as obras de Marx depois de seu falecimento.

4. Mao Tse-tung (1893-1976), comandou a revolução na China, que se prolongou de 1926 a 1949. Procurou aplicar a teoria de Marx e Lenin à realidade do país. Foi o principal dirigente governamental da China no período de 1949 a 1976.

5. Rosa Luxemburgo (1870-1919), intelectual e dirigente revolucionária. Judia de origem polonesa, desenvolveu suas pesquisas e sua militância na Alemanha, onde ajudou a fundar o Partido Social-Democrata (comunista) e, depois, a Liga dos Comunistas–Espartaquistas. Liderou uma insurreição operária, em 1918. Foi presa e fuzilada pelo governo alemão. Deixou uma importante contribuição teórica.

6. Sociólogo norte-americano, professor da Universidade de Nova York. Especialista em América Latina e movimentos sociais.

7. Socióloga e historiadora chilena. Escreveu de forma didática cadernos que explicaram a obra de Marx. Tem várias pesquisas e ensaios sobre a esquerda latino-americana.

8. Josué de Castro (1908-1973), pernambucano, médico, biólogo e estudioso dos problemas da fome. Autor do clássico *Geografia da fome*, em que revelou ao país e ao mundo as mazelas e as causas da fome no Brasil, em especial no Nordeste. Apoiador entusiasta da reforma agrária, estimulou as Ligas Camponesas em seu Estado. Com o golpe militar, foi cassado e exilou-se em Paris.

9. Pernambucano, professor de geografia, considerado um dos maiores especialistas sobre o Nordeste. Tem inúmeros trabalhos publicados sobre a realidade agrária do Brasil.

10. Economista, paraibano, foi funcionário da Cepal/ONU, criador da Sudene e ministro do Planejamento no

alguma coisa de todos eles. Sempre tivemos uma luta ideológica e pedagógica dentro do movimento de combater rótulos. Se Lenin descobriu uma coisa que pode ser universalizada na luta de classes, vamos aproveitá-la; se Mao Tse-tung, naquela experiência de organizar uma revolução camponesa, descobriu coisas que podem ser universalizadas ou aproveitadas, vamos assimilar. Isso não quer dizer que vamos copiar tudo o que foi feito na China, o que seria um absurdo, uma ignorância. Aliás, o PCdoB já tentou isso no passado e não deu certo.

O próprio Evangelho, não como uma religião mas como uma doutrina, também tem uma influência sobre nossos valores, nossa cultura, na forma de ver a mística, na forma de ver diferente. Nos abastecemos também em James Petras[6] e Marta Harnecker[7] e em muitos outros.

BERNARDO: *E os pensadores brasileiros, são também uma referência?*

JOÃO PEDRO: Esta é outra fonte que sempre valorizamos: os pensadores brasileiros. Há uma tradição na academia brasileira de que quem morreu logo se torna ultrapassado. Nós, ao contrário, procuramos saber o que os pensadores diziam em outras épocas. Buscamos desenvolver na militância esse gosto pelos pensadores nacionais.

Gostamos, por exemplo, de Josué de Castro[8]. Aí, vem o cara lá da universidade ou não sei quem do PT e diz: "Não, mas ele era do Partidão". Nunca perguntamos a qual partido o Josué de Castro foi filiado. O que queremos saber é o que está escrito no livro *Geografia da fome*. É irrelevante saber se o cara era do Partidão ou não, até porque ele foi deputado pelo PTB. Precisamos fugir desses rótulos estreitos; vamos aproveitar o que tem no pensamento do Josué de Castro que pode nos ajudar a entender o Nordeste. Vocês não imaginam a contribuição que nos deu o Manuel Correia de Andrade[9] para compreendermos o Nordeste, como funciona uma usina, o latifúndio. Isso é que é importante.

Com Celso Furtado[10] é a mesma coisa. Falam que ele era "cepalino", que só via a reforma agrária pela ótica do mercado interno e da industrialização. E daí? Ele foi derrotado politicamente, mas as ideias dele podem estar corretas em determinados aspectos. Então, vamos aproveitá-lo.

A mesma coisa em relação a Florestan Fernandes[11] e a Paulo Freire[12]. Aproveitamos Darcy Ribeiro[13] para compreender a formação étnica e cultural do povo brasileiro. Setores de esquerda ficaram horrorizados quando souberam que estávamos estudando sua obra. "É, Darcy Ribeiro nos ferrou na LDB" (Lei de Diretrizes e Bases da Educação Nacional). E daí? Tu o estás criticando como senador, mas estou falando é do livro *O povo brasileiro*.

BERNARDO: *Quem mais pode ser incluído nesse rol de pensadores que são utilizados pelo movimento?*
JOÃO PEDRO: Temos que lembrar também o Clodovis Boff[14] e o Leonardo Boff[15], Frei Betto[16], dom Tomás Balduíno, dom Pedro Casaldáliga[17], entre outros. Em termos de experiências, aprendemos também com Luiz Carlos Prestes[18]. Em outro bloco, temos Ernesto Che Guevara[19], José Martí[20] e...

BERNARDO: *Fidel Castro[21] está entre os pensadores universais?*
JOÃO PEDRO: Está, se bem que não é um teórico, um pensador clássico, é mais um grande dirigente político.

BERNARDO: *Quais outros dirigentes que podem ser citados?*
JOÃO PEDRO: Vou abrir agora um bloco de dirigentes políticos clássicos que, embora não teorizassem, também nos ajudaram com suas vivências e experiências políticas. Entram Fidel Castro, Sandino[22], Emiliano

governo João Goulart (1962-1964). Exilado, retornou ao Brasil em 1980 e foi ministro da Cultura no governo Tancredo/Sarney (1985-1989). Seus estudos deram uma contribuição fundamental para a compreensão da formação econômica do Brasil. Defendeu a necessidade de um modelo econômico nacional.

11. Florestan Fernandes (1920-1995), paulista, considerado o mais importante sociólogo do Brasil. Professor da Universidade de São Paulo (USP), da qual foi aposentado pelo AI-5, em 1968. De origem humilde, estudou com muito sacrifício. Dedicou-se à pesquisa e à compreensão da natureza das classes sociais no Brasil. Defendeu a necessidade de a classe trabalhadora libertar-se. Foi deputado federal pelo PT (1987-1994).

12. Paulo Freire (1921-1997) pernambucano, educador, criou e desenvolveu um método revolucionário de alfabetização de adultos. Exilado pela ditadura militar, aplicou seu método em inúmeros países do Terceiro Mundo.

13. Darcy Ribeiro (1922-1997), mineiro, antropólogo, teve uma participação importante no estudo da formação étnica e cultural de nosso povo. Foi ministro da Educação e Cultura no governo João Goulart (1962-1964) e fundador da Universidade de Brasília. Em 1990, foi eleito senador (PDT) pelo Rio de Janeiro.

14. Frade franciscano. Escritor e teólogo que contribuiu com a Teologia da Libertação.

15. Teólogo brasileiro, ex-frade franciscano, deixou a congregação em função das perseguições que sofreu do Vaticano. É professor de filosofia da Universidade do Rio de Janeiro. Escritor, tem diversos livros publicados.

16. Sacerdote dominicano, jornalista e escritor. Militante contra a ditadura militar, esteve muitos anos preso. Trabalhou nas comunidades eclesiais de base. Assessorou diversos movimentos sociais brasileiros.

17. Espanhol de nascimento, reside no Brasil desde os anos 1970. Poeta e escritor, é bispo da Prelazia de São Félix do Araguaia (MT).

18. Luiz Carlos Prestes (1898-1990). Gaúcho, sua trajetória política teve origem no Exército. Foi um dos líderes da Revolta dos Tenentes, em 1924, e percorreu o Brasil na famosa Coluna Prestes (1925-1927). Foi líder do Partido Comunista Brasileiro (PCB).

19. Ernesto Guevara de la Serna (1928-1967), líder guerrilheiro. Médico nascido na Argentina, participou ativamente da vitoriosa Revolução Cubana. Abandonou os cargos que chegou a ocupar no governo cubano para contribuir com a luta revolucionária no Congo e, mais tarde, na Bolívia, onde foi assassinado. Transformou-se num ícone das lutas revolucionárias da América Latina.

20. José Martí (1853-1895), líder da luta pela independência de Cuba.

Zapata[23], Nelson Mandela[24], cuja vida é uma lição de luta de classes: ficou preso durante 29 anos e escapou de três pneumonias.

BERNARDO: *Ghandi[25] entraria nessa lista?*
JOÃO PEDRO: Entraria nessa de dirigentes políticos, juntamente com Samora Machel[26], Amílcar Cabral[27], Patrice Lumumba[28], Agostinho Neto[29], Martin Luther King[30] – este, pela forma de luta que nos serviu de referência. São tantos que você acaba esquecendo.

BERNARDO: *Com relação aos pensadores nacionais, além de Celso Furtado, José de Souza Martins e Manuel Correia de Andrade, já citados anteriormente, quem mais você colocaria como referência teórica do movimento?*
JOÃO PEDRO: Com certeza, o Caio Prado Jr.[31]

BERNARDO: *O que mais haveria a acrescentar nesse ponto?*
JOÃO PEDRO: Ainda em termos de ideologia, além dos pensadores clássicos do Brasil e da América Latina, há uma vertente que influenciou muito, inclusive devido à própria pedagogia camponesa, que vai muito mais pelo exemplo do que pela teoria. São as experiências de luta da classe trabalhadora de Canudos (BA)[32], de Zumbi[33], no Quilombo de Palmares (AL), Contestado (SC/PR)[34], Trombas e Formoso (GO)[35], Porecatu[36] e as Ligas Camponesas. Aliás, sobre as Ligas, a Elizabeth Teixeira, liderança da Paraíba, conta histórias um dia inteiro, e a militância fica toda acesa. No último Encontro Nacional, um filho do Prestes compareceu para representar a memória do pai numa homenagem que fizemos a ele. Falou sobre o Prestes por 45 minutos sem parar. Aí a militância teve uma espécie de contato vivo com a história do nosso país.

Aprendizado

Poeta, jornalista, escritor. Foi um dos intelectuais mais importantes da América Latina.

21. Político cubano, fundador do Movimento 26 de Julho e líder da Revolução Cubana de 1959.

22. Augusto César Sandino (1895-1934) liderou a luta pela independência da Nicarágua. Seu nome e história deram origem à organização política Frente Sandinista de Libertação Nacional, que realizou uma revolução popular na Nicarágua (1979-1989).

23. Emiliano Zapata (1879-1919) liderou a Revolução Mexicana que se desenvolveu de 1910 a 1920. Mobilizou milhares de camponeses, que chegaram a tomar o poder, e realizou a primeira reforma agrária latino-americana.

24. Líder político da África do Sul, desenvolveu desde jovem a luta contra a discriminação racial e o *apartheid* em seu país. Militante do partido Congresso Nacional Africano, ficou encarcerado por mais de 29 anos. Tornou-se o primeiro presidente negro eleito da África do Sul.

25. Gandhi (1869-1948), líder político da Índia. Comandou o povo hindu contra o colonialismo inglês. Advogava métodos não violentos, mobilizando milhões de pessoas. Conquistou a independência da Índia na década de 1940.

26. Samora Machel (1933-1986), líder revolucionário, foi um dos fundadores da Frente de Libertação de Moçambique. Liderou a guerrilha contra Portugal. Foi eleito o primeiro presidente de Moçambique independente.

27. Amílcar Cabral (1924-1973), líder revolucionário, foi um dos fundadores do Partido Africano da Independência da Guiné e Cabo Verde.

28. Patrice Lumumba (1925-1961), líder revolucionário do Congo, foi um dos fundadores do Movimento Nacional Congolês, em 1958.

29. Agostinho Neto (1922-1979), médico, poeta e líder revolucionário de Angola. Liderou a resistência contra Portugal. Foi o primeiro presidente da República Independente de Angola, em 1975.

30. Martin Luther King (1929-1968), pastor negro norte-americano e Prêmio Nobel da Paz em 1964. Liderou em 1967 a Marcha sobre Whashington, com 250 mil pessoas, para exigir respeito aos direitos dos negros. Foi assassinado em 1968.

31. Historiador. É um clássico entre os pensadores marxistas brasileiros. Foi professor da USP. Militante do PCB, envolveu-se em polêmicas com a orientação oficial do partido.

32. Resistência camponesa ocorrida no sertão baiano, liderada por Antônio Conselheiro, no período de 1893-1897. O povoado de Canudos chegou a organizar 25 mil pessoas. Cercado pelo Exército, resistiu durante cinco anos a várias ofensivas militares. Como disse Euclides da Cunha em *Os sertões*, obra clássica que descreve a resistência: "Canudos não se rendeu".

33. Zumbi, líder da resistência negra no século 17, quando se organizaram muitos quilombos em todo o país. Zumbi comandou o Quilombo de Palmares (AL). Foi assassinado por tropas da Coroa Portuguesa em 1695.

34. Movimento de resistência camponesa ocorrido entre 1912 e 1916 ao longo do rio do Peixe, em Santa Catarina e no Paraná. Os posseiros resistiram à doação de suas terras a uma empresa inglesa, que as recebera do governo pelo pagamento da construção de uma ferrovia. O Exército e tropas federais atacaram os posseiros para garantir os interesses da empresa inglesa.

35. Resistência camponesa ocorrida no interior de Goiás, nas décadas de 1950-1960.

36. Resistência camponesa ocorrida na década de 1950 no norte do Paraná. Os posseiros resistiram de forma armada contra a grilagem das empresas colonizadoras.

GOVERNO: DOS MILITARES A ITAMAR

BERNARDO: *Dando um salto para trás, vamos lá para os anos 1979 a 1984. Faça uma análise da conjuntura nacional da época associada à história do MST.*
JOÃO PEDRO: Era uma conjuntura de crise econômica, de grandes transformações na agricultura, o que já falei antes. Essa crise e essas transformações abriram brechas para a luta pela terra e para o crescimento dos movimentos de massas urbanos que lutavam pela democratização do país. O governo foi ficando acuado. Como passara 20 anos reprimindo, não tinha mais como reprimir. A última tentativa de repressão do governo militar foi na Encruzilhada Natalino.

BERNARDO: *Com o Coronel Curió?*
JOÃO PEDRO: Exatamente, mas não deu certo como aconteceu com os posseiros do Norte, onde a luta era isolada e não tinha adquirido um caráter de massas e de classes. Curió foi lá no Norte e prendeu dois padres franceses[1], o que gerou uma crise internacional, mas desativou a luta dos posseiros.

BERNARDO: *Como foi a prisão dos padres franceses?*
JOÃO PEDRO: O principal problema do governo é que ele só tinha como saída jurídica a expulsão. Os padres foram denunciados por 12 lideranças de posseiros em áreas de conflitos de terra no Bico do Papagaio[2]. Para se livrar, os posseiros botaram toda a culpa nos padres. Fizeram

1. Aristides Cannio e François Gourriou, padres presos no norte de Tocantins sob a acusação de envolvimento em conflitos de terra — prática proibida a pessoas de nacionalidade estrangeira. Foram presos em agosto de 1981, depois de um longo e fraudulento processo, em que se forjaram testemunhos. Ambos foram expulsos do país. Mais tarde, com a redemocratização de 1985, as expulsões foram revistas.

2. Região do extremo norte do Estado de Tocantins, na confluência dos rios Tocantins e Araguaia, em que a linha divisória entre os Estados de Tocantins, Maranhão e Pará forma um desenho que lembra um bico de papagaio.

isso porque não tinham o sentido de organização. No MST, já tivemos casos de traição, mas não tão evidente, né? Imagine a Diolinda[3] presa, dizendo: "Não, quem mandou a gente ocupar o Pontal foi o professor tal ou a freirinha lá de Presidente Epitácio", pensando que um ou outro não sofreria represálias. Nunca vai acontecer isso com a Diolinda, mas foi o que aconteceu em relação aos padres franceses. A repressão oficial ainda funcionava para aquele tipo atrasado de luta. A primeira tentativa de Curió para acabar com o acampamento da Encruzilhada Natalino foi um plano para prender o padre Arnildo, uma freira italiana e eu. A Igreja local, mesmo conservadora, desaconselhou: "Se botar a mão, estará complicado". Como ele sabia que por trás havia a sociedade, optou por outro caminho. Apesar de trazer todas as tropas possíveis, o cerco militar ao acampamento não funcionou. Ficou desmoralizado e saiu derrotado.

BERNARDO: *O governo não usava a mesma tática nas cidades, como por exemplo contra os metalúrgicos? A repressão urbana não aconteceu na mesma época?*
JOÃO PEDRO: Na mesma época, de decadência do regime militar, prenderam o Lula por 40; dias e, quanto mais tempo ele ficava preso, mais o movimento dos metalúrgicos crescia. A repressão não servia mais como forma de resolver os problemas sociais. Como o governo federal estava acuado, a pistolagem foi então a principal arma dos inimigos da reforma agrária na época. Foi uma época em que ocorreram muitos assassinatos praticados por pistoleiros.

BERNARDO: *Qual era o clima no período de 1985 a 1989?*
JOÃO PEDRO: Estávamos em fase de gestação. Na época, o governo da Nova República tentava mostrar para a sociedade que queria fazer a reforma agrária. Para tanto, cooptou o PCdoB, o PCB e a Contag. O Incra, nesses

---

3. Diolinda Alves de Souza, liderança do MST na região do Pontal do Paranapanema (SP). Foi presa em abril de 1995, acusada de envolvimento em conflito de terras. Junto com ela foi preso também Márcio de Souza. Outros quatro líderes foram acusados no mesmo processo.

tempos, era todo dirigido por gente desses dois partidos. O Congresso da Contag, em 1985, foi um festival de palestras de ministros. Onze ministros falaram, e houve ainda a presença do próprio Sarney. Nós, ao contrário, insistíamos em que a reforma agrária só avançaria com ocupações. Foi quando levantamos aquelas duas bandeiras – "Sem reforma agrária não há democracia", para dizer que democracia não era só votar, e "A ocupação é a única solução". Como a Nova República era um governo que se dizia comprometido com a democracia, não pôde nos reprimir. Foi o período em que mais ocupamos sedes do Incra e um dos mais férteis em termos de conquistas concretas, a exemplo do que aconteceu de 1995 a 1997. Ocorreram muitas desapropriações e muitos assentamentos.

BERNARDO: *Os períodos em que o MST teve mais conquistas correspondem às segundas metades das décadas de 1980 e 1990?*
JOÃO PEDRO: É, foram os dois períodos em que houve mais assentamentos. Na época do Sarney, quando o governo não agilizava o assentamento, ninguém nos tirava da área ocupada. Virava, na prática, um assentamento. Como o Estado não podia desencadear a repressão maciça, porque as nossas ocupações eram de massas, surgiu a UDR como uma forma de organização do latifúndio. Ela surgiu com duas intenções: reprimir o MST e, sobretudo, fazer pressão sobre o governo. Ou seja: fazer com que o governo Sarney reprimisse. "Vocês têm de reprimir", exigia. A UDR teve muita influência nos governos estaduais e, principalmente, na Constituinte de 1988. Praticamente a única derrota social que ocorreu na Constituinte foi na questão agrária, pois em todos os outros itens houve avanços. Agora estão retirando esses avanços. A UDR, porém, cometeu dois graves erros. Como não conhecia direito o MST nem nossas táticas de ocupação de terra de massas, optou pela profissionalização de pistoleiros.

Pelo modo anterior, pistoleiro era aquele jagunço, meio vaqueiro, meio doido, que por umas cachaças fazia qualquer coisa. A UDR não fez uma interpretação política correta da luta pela reforma agrária ao profissionalizar a pistolagem. Por isso começou a assassinar pessoas que não tinham inserção direta nas ocupações de massas que estavam proliferando, por isso houve uma repercussão muito grande. Foram os casos dos assassinatos do padre Josimo Tavares[4], em Imperatriz (MA), e de Chico Mendes[5], em Xapuri (AC). Esses dois assassinatos representaram a abertura da cova da UDR.

BERNARDO: *Devido à repercussão?*
JOÃO PEDRO: Pelo que significavam para a sociedade como um todo. Esses crimes não atingiram só a reforma agrária ou o MST, mas a própria sociedade. Veja só que absurdo: matar um padre e um sindicalista de renome internacional para combater a luta pela reforma agrária. Ao matar lutadores sociais, de uma luta mais ampla, errou o alvo e acertou a sociedade. Ao cometer esse erro gravíssimo, a UDR causou sua própria destruição. Na época, fizeram umas pesquisas que mostraram que a população execrava a UDR. Tinha virado o símbolo da violência.

BERNARDO: *O pior período da história do movimento foi no governo Collor?*
JOÃO PEDRO: A derrota da candidatura Lula foi uma derrota política após dez anos de ascensão do movimento de massas no Brasil. Ela nos atingiu também. Como estávamos na adolescência, éramos um movimento muito fraco ainda. Foi como se perdêssemos o pai ainda jovem, porque não tínhamos maturidade suficiente para compreender o momento histórico que vivíamos. Afetou o ânimo da militância e aquela expectativa de que era possível fazer uma reforma agrária rápida. Essa era a sinalização que um possível governo Lula nos dava. E essa

---

4. Josimo Morais Tavares (1953-1986), sacerdote, negro, membro da Comissão Pastoral da Terra, atuava na região do Bico do Papagaio, Tocantins. Foi assassinado por um pistoleiro, a mando de fazendeiros da UDR, em 10 de maio de 1986, na cidade de Imperatriz (MA). Apenas o pistoleiro foi condenado. Confessou a mando de quem atuou, mas os fazendeiros estão "foragidos" até hoje.

5. Francisco Alves Mendes Filho (1944-1988), Chico Mendes, foi líder sindical e presidente do Sindicato dos Trabalhadores Rurais de Xapuri (AC). Fundador do PT e da CUT no Acre, foi assassinado por fazendeiros ligados à UDR.

expectativa não era por acaso, não. Talvez seja importante deixar registrado na história que, naquela campanha, o maior comício que o Lula fez fora das capitais foi na Encruzilhada Natalino, com 40 mil pessoas. Mais de 40 mil camponeses entulharam aquela Encruzilhada. Nesse comício foi anunciada a pesquisa do Ibope em que o Lula ultrapassava o Brizola e ia para o segundo turno.

Bernardo: *Na terra de Brizola.*
João Pedro: Na terra nossa. Parece folclore, mas é simbólico, o que demonstra o quanto estávamos convencidos de que a vitória do Lula representaria a possibilidade de massificar a luta pela reforma agrária no Brasil. A derrota dele, não sei como explicar direito, não foi apenas a vitória de Collor, de um doido que não queria fazer a reforma agrária. Antes de tudo, foi uma derrota política nossa, porque poderíamos ter perdido a eleição para o Covas, por exemplo, e ele fazer uma politicazinha "Maria vai com as outras", como está fazendo agora, como governador de São Paulo, no Pontal do Paranapanema. Se fosse assim, nossa derrota política não teria sido tão trágica. O governo Collor, além de não fazer a reforma agrária, resolveu reprimir o MST. Acionou a Polícia Federal, o que é um agravante, pois não é uma tropa de choque, é repressão política pura. O agente da Polícia Federal é um sujeito mais preparado, mais sedimentado. Não batiam mais nas nossas canelas, batiam na cabeça. Essa repressão nos afetou muito, muita gente foi presa. Começaram a fazer escuta telefônica. Tivemos, no mínimo, quatro secretarias estaduais invadidas pela Polícia Federal.

Bernardo: *É o período em que o movimento se volta para dentro?*
João Pedro: Para dentro, para organizar a produção. Foi um período de muitas dificuldades materiais. Era uma pobreza desgraçada.

BERNARDO: *O movimento percebeu que o enfrentamento seria suicídio?*
JOÃO PEDRO: É, existia o sentimento de que era preciso resistir. Por outro lado, a direita se sentiu vitoriosa, porque alterou a correlação de forças. E passou a pressionar nos Estados, por meio dos governadores, das PMs, da articulação dos fazendeiros etc.

Foi uma loucura. Foram três anos comendo o pão que o diabo amassou. A entrada do governo Itamar Franco[6] foi um alívio muito grande. Do ponto de vista das conquistas, reabriu um período semelhante ao da Nova República, embora mais atrasado.

BERNARDO: *Itamar começa o governo tirando Antônio Cabrera[7] do Ministério da Agricultura?*
JOÃO PEDRO: Exatamente. Sinval Guazzelli[8], ex-governador do Rio Grande do Sul, entrou em seu lugar. Nessa troca, tivemos uma vantagem, mas o Incra virou uma tapera velha, tanto é que iam fechá-lo. Percebíamos que, com o Ministério da Agricultura e o Incra, não avançaríamos em nada, de tão desmoralizados que estavam. Na ocasião, o advogado Marcos Lins[9] assumiu a presidência do Incra, numa gestão tapa-buraco, já não tinha nenhuma representatividade. O que nos salvou no governo Itamar – é bom falar sobre isso até para registrar na história – é que todo o nosso relacionamento e todas as nossas negociações foram feitos por intermédio do Ministério do Trabalho. Walter Barelli[10] era o ministro e abriu as portas do Ministério, nos recolocando como interlocutores políticos do governo. Ele aceitou fazer esse papel de negociador e, assim, foi nosso amigo. É com ele que pela primeira vez somos recebidos pelo presidente da República.

BERNARDO: *A primeira vez?*
JOÃO PEDRO: Foi a primeira. Havíamos falado uma vez com Tancredo Neves, mas ele não era ainda presidente.

---

6. Vice-presidente da República na chapa de Fernando Collor de Mello. Assumiu a presidência da República após o afastamento de Collor por corrupção. Governou o país de 1992 a 1994. Em 1993, a Lei Complementar de Reforma Agrária, que regulamentava a Constituição de 1988, foi aprovada pelo Congresso Nacional e sancionada por Itamar Franco. Elegeu-se governador de Minas Gerais em 1998, pelo PMDB.

7. Um dos maiores fazendeiros e pecuaristas do Estado de São Paulo e, na época, vinculado à UDR. Filiado ao Partido da Frente Liberal (PFL), foi ministro da Agricultura do governo Collor (1990-1992). Nomeou presidentes do Incra frontalmente contrários à reforma agrária.

Ele já havia sido eleito e, antes da posse, viajou ao Rio Grande do Sul. Em Porto Alegre, se não me engano numa manifestação chamada Grito da Terra, o Tancredo aceitou receber um documento nosso, num típico exemplo de relações públicas. Já com o Sarney, também foi no Rio Grande do Sul, durante uma Festa da Uva, em Caxias do Sul. Um bispo intermediou o encontro, quando ele recebeu um documento de Isaias Vedovatto, da nossa Coordenação Nacional, em outra atitude de relações públicas. Assim como ele recebia 300 pessoas, recebeu o movimento. Sentar, negociar e nos dar *status* de interlocutor político, somente com o governo Itamar.

BERNARDO: *Com Itamar Franco o MST se reuniu uma única vez?*
JOÃO PEDRO: Nos reunimos várias vezes. Às vezes só o MST, às vezes em conjunto com outras organizações.

BERNARDO: *E quantas com Fernando Henrique Cardoso?*
JOÃO PEDRO: Três vezes.

BERNARDO: *O MST passa a ser o interlocutor nacional do governo federal para o problema da reforma agrária?*
JOÃO PEDRO: A luta pela reforma agrária é que não pode mais ser ignorada. O fato de sermos recebidos, de negociar, é mais do que tudo resultado das lutas de massas, no interior, nas marchas, nas ocupações.

8. Deputado federal pelo PMDB. Governador nomeado do Rio Grande do Sul (1979-1982) pela Aliança Renovadora Nacional (Arena), na época da ditadura militar. Vice-governador eleito pelo PMDB (1987-1992). Foi ministro da Agricultura do governo de Itamar Franco (1992-1994).

9. Advogado e funcionário público. Assumiu interinamente a presidência do Incra.

10. Economista, foi coordenador-geral do Dieese (Departamento Intersindical de Estatísticas e Estudos Socioeconômicos, organismo técnico dos sindicatos de trabalhadores urbanos), assessor da CUT e membro do Governo Paralelo do PT. Sua gestão no Ministério do Trabalho (1992-1994) foi muito importante ao apoiar a reforma agrária. Foi o interlocutor entre o MST e o governo Itamar. Posteriormente, participou do governo de Mário Covas em São Paulo.

EDUCAÇÃO

BERNARDO: *Além dos eventos de âmbito nacional, como os Encontros e Congressos Nacionais, o MST realiza eventos estaduais e setoriais, como o Encontro Nacional dos Educadores da Reforma Agrária (Enera)*[1], *promovido pelo Setor de Educação, ou os encontros da Concrab. Especificamente, o que o Enera significou para o MST?*

JOÃO PEDRO: Um salto de qualidade. Primeiro, porque foi um reflexo de todo o processo de construção que, costumeiramente, acontece no MST. É a forma como vamos construindo nossa estrutura orgânica. Nesse período, como é normal dentro do movimento, tudo depende de um processo de construção. Assim, o Setor de Educação também obedece a esse processo. Ele vem sendo construído há quase dez anos. Começa lentamente, um grupo pequeno vai produzindo alguns materiais, e aí vai indo. Do ponto de vista interno, o Enera representou um salto de qualidade no Setor de Educação. Não de qualidade teórica – aí já é outro viés –, mas do reconhecimento por parte da sociedade da importância que o MST dá à educação. De novo aplicamos aquilo que aprendemos em 1995, no III Congresso Nacional, ou seja, que é possível fazer encontros de massas. Superamos a ideia de ficar presos a delegados, de restringir a participação. Ao contrário, quanto mais gente participar, mais gente vai aprender, embora já tenhamos ouvido muitas críticas que dizem: "Quando é de massas, perde a qualidade".

1. Reuniu mais de 700 educadores, em sua maioria professores de 1º grau das escolas dos assentamentos. Foi realizado em julho de 1997, na Universidade de Brasília (UnB). Teve um impacto muito grande na comunidade acadêmica e educacional por ter aglutinado, pela primeira vez na história do Brasil, educadores do meio rural para debater educação e reforma agrária. Foi organizado pelo Setor de Educação do MST, com a colaboração da UnB, da Unesco e do Unicef.

BERNARDO: *Muito ao contrário.*

JOÃO PEDRO: Aí é questão de critério. Se tu dizes que 80% assimilam, tendo mil participantes, seu encontro foi aproveitado por 800 pessoas. Se fossem cem participantes, o aproveitamento teria sido para 80 pessoas. Mantendo o índice de aproveitamento, quanto mais gente puder alcançar, melhor. Portanto, o Enera cumpriu um papel interessante, que foi dar um salto de qualidade, do ponto de vista orgânico, para a importância da educação dentro do movimento. Até para que o próprio militante se convença de que, na guerra, é importante estarmos em todas as frentes de batalha. A frente de batalha da educação é tão importante quanto a da ocupação de um latifúndio ou a de massas. A nossa luta é para derrubar três cercas: a do latifúndio, a da ignorância e a do capital. Por outro lado, teve também um papel importante para a sociedade como um todo. De certa forma, já tínhamos recebido um reconhecimento da sociedade quando conquistamos o Prêmio Unicef/Itaú, pelo trabalho de educação que desenvolvemos nas áreas da reforma agrária.

Já do ponto de vista da divulgação, para os meios de comunicação, para a sociedade em geral, o Enera ajudou a propagandear, no sentido positivo, que o MST não se preocupa só com terra, se preocupa também com escola, com educação. O fato de se realizar numa universidade, em Brasília, ter uma espécie de patrocínio da Unesco[2] e do Unicef[3], mais a participação de um reitor de uma universidade federal e da CNBB, tem um significado muito forte para a sociedade. Ao mesmo tempo em que fortalece a unidade nas propostas, anula os ataques aos que se opõem ao nosso trabalho no campo. A sociedade vê que o MST está com o Unicef, com a Universidade de Brasília (UnB), com a CPT, e tem uma proposta de educação para o meio rural. E as elites? Com quem estão os latifundiários? Qual a proposta que eles têm a oferecer?

2. Fundo das Nações Unidas para a Educação, Ciência e Cultura (Unesco). Possui representação diplomática em Brasília. Atua com projetos educacionais e culturais em diversas áreas.

3. Fundo das Nações Unidas para a Infância (Unicef). Possui um escritório em Brasília. Apoia e patrocina diversos projetos educacionais relacionados com melhorias das condições de vida das crianças pobres em todo o mundo.

EDUCAÇÃO

BERNARDO: *Nesse processo de consolidação, o movimento criou o Instituto Técnico de Ensino e Pesquisa em Reforma Agrária (Iterra)[4] para dar cursos aos seus alunos. Essa é uma outra característica, que é o processo de construção do conhecimento, da pesquisa. Por que há essa preocupação?*

JOÃO PEDRO: As origens dessa preocupação vieram de várias fontes. Uma delas é a própria necessidade que sentíamos nos assentamentos. Se o assentamento desenvolve formas de cooperação agrícola, se começa a desenvolver a agroindústria, a trabalhar com cooperativas, a ter entre os seus militantes técnicos agropecuários, agrônomos, veterinários, começa a gerar uma necessidade de ter esse tipo de gente imbuída da ideologia que o movimento quer. Outra fonte de inspiração é o que aprendemos com todas as outras organizações e com esses velhos militantes. Todos eles repetem: "Nenhuma organização tem futuro se não formar os seus próprios quadros em todas as frentes do conhecimento humano". É lógico que não vamos formar físico nuclear, porque não temos necessidade. Esses velhos militantes repetem um provérbio chinês: "Quem não caminha com as próprias pernas não vai longe". A terceira fonte é essa inspiração ideológica, de que falei antes. Existe a compreensão de que o MST deve lutar contra três cercas: a do latifúndio, a do capital e a da ignorância. Esta última não no sentido apenas de alfabetizar pessoas, o que é simples, mas no sentido de democratizar o conhecimento para um número maior de pessoas. O desenvolvimento depende disso. Uma quarta fonte que impulsionou essa preocupação foi a própria evolução do programa agrário, na medida em que, no período de 1993 a 1995, fizemos todo um debate ideológico, que resultou num programa agrário, aprovado no III Congresso Nacional. O programa deu o salto qualitativo de imaginar o futuro com uma forma superior de organização da produção: nem manter o molde camponês nem aderir ao mercado capitalista.

4. Órgão mantenedor da Escola Técnica Josué de Castro, que ministra cursos de 1º e 2º graus, na modalidade de sistema alternativo, para os alunos do MST. A escola está sediada no prédio do Seminário dos Capuchinhos, em Veranópolis, distante 150 km de Porto Alegre.

BERNARDO: *E nem cair também no coletivismo.*

JOÃO PEDRO: Nem cair no coletivismo ou só ficar esperando pelo socialismo, que iria resolver todos os problemas. Estes seriam, digamos, os dois desvios da esquerda: achar que o coletivismo resolve tudo ou ficar esperando pelo socialismo. Há também um desvio de direita, atrasado ou basista, que defende deixar que o camponês por si só resolva os seus problemas ou que simplesmente se integre no mercado e vire um pequeno capitalista. Nosso programa agrário procura superar ideologicamente essas dicotomias. Ele representa uma proposta de como reorganizar o meio rural no Brasil, para democratizar a terra e o conhecimento. Pela primeira vez aparece o acesso à educação e a organização das escolas como uma meta necessária, como parte de um programa agrário, de uma reforma agrária. Antigamente, ou pela visão clássica da reforma agrária, era só dividir a terra. Para nós, tão importante quanto distribuir terra é distribuir conhecimento. Somos parte de um processo mais amplo de desenvolvimento do meio rural, para que consequentemente as pessoas se desenvolvam, sejam mais felizes e mais cultas, mesmo morando na roça. O Brasil tem essa visão das elites de que quem mora no meio rural é atrasado, é o fim do mundo, não tem futuro, é o inferno, na cidade é que é bom. Nossa visão, com esse programa agrário, é justamente o contrário: só é possível desenvolver o Brasil, fazer com que os pobres tenham uma vida melhor, se desenvolvermos o meio rural. Trazer os pobres do meio rural para a cidade vai tornar a vida um inferno para todo mundo.

Também incorporamos essa ideia da agroindústria porque rompemos com o medo de ser apenas um movimento de camponeses, de apenas pensar na agricultura. A agricultura é fundamental porque trabalhamos com a terra, mas não podemos apenas produzir matérias-primas e deixar os capitalistas enriquecerem às nossas custas.

Temos que dar um passo a mais. Ou seja: nós mesmos transformarmos a matéria-prima produzida pela terra, para não sermos explorados pelas multinacionais da agroindústria, para podermos agregar valor e vender o produto mais barato, com maior acesso ao mercado de massas da cidade. O programa agrário deu esse salto. Serviu também de estimulador ou de uma base que nos motivasse para que déssemos mais atenção ao Setor de Educação e à Concrab. Como consequência disso, a partir de 1995, todos se dedicam com mais afinco aos cursos. Por outro lado, como tenho falado reiteradamente, tudo no movimento é um longo processo de gestação. Não poderíamos ter falado agora em Iterra, em curso superior de pedagogia na Universidade de Ijuí (Unijuí), em cursos de especialização de cooperativismo, se antes não houvesse toda essa reflexão de como é a escola no meio rural, da preocupação de preparar novos professores, da nossa experiência com alfabetização.

BERNARDO: *O MST vai contra toda uma corrente que existe no mundo inteiro hoje, que defende que o campo vai acabar. Ao criar uma outra política, cria, consequentemente, uma nova concepção. O Setor de Educação passa a ter uma grande responsabilidade, porque o professor daquela escola rural é um trabalhador rural. Os pesquisadores que vão trabalhar em determinado assentamento também são trabalhadores rurais. Essa escola rural desenvolve conhecimentos voltados para o benefício e o bem-estar dos trabalhadores a partir de uma nova concepção de vida rural. Em decorrência disso, o MST enfrenta uma luta difícil, que é a de tentar explicar aos educadores, aos governos, enfim, às pessoas que desenvolvem políticas públicas, que a escola não pode ser na cidade, que a escola tem que ser no assentamento.*
JOÃO PEDRO: Isso ocorre porque essas pessoas analisam a questão só do ponto de vista do custo.

BERNARDO: *Podemos dizer, por exemplo, que o MST, ao desenvolver a luta pela terra, vai construindo conhecimento, experiências. Em relação à ocupação da terra, criou uma forma de luta popular que mudou a história da reforma agrária no Brasil.*

JOÃO PEDRO: Se tem uma homenagem que possamos fazer aos nossos militantes, é esta: eles são uma síntese da experiência da luta de classes no Brasil. Na verdade, quando alguém se transfere de um Estado para outro, não é só por voluntarismo pessoal de um missionário. Leva junto o acúmulo de toda a história de seu Estado de origem. Ao se transferir, ajuda a não repetir os erros. Sem saber, está transferindo conhecimento, conhecimento de formas de luta para uma outra região.

BERNARDO: *É isso que permite a territorialização[5] do movimento?*

JOÃO PEDRO: É verdade. Às vezes, quando há algum atrito com as forças locais, que não têm aquele acúmulo, estas dizem: "Não, tem que fazer assim". Aí o militante transferido diz: "Não, isso não dá certo, porque lá já não deu". As ocupações de terra são uma contribuição nossa. Não é por acaso que movimentos sociais urbanos estão começando a nos imitar, não só nessa história da ocupação de terrenos, o que já vem ocorrendo há muito tempo, como também na ideia de ocupar o espaço como uma forma de luta. Temos notícias de muitas fábricas ocupadas por desempregados, ou seja, seus ex-empregados. Quando as mães acampam na frente de uma escola para lutar por uma vaga para o seu filho, no fundo também é uma ocupação.

BERNARDO: *O MST conseguiu esse dimensionamento político porque ocupou o seu espaço, os espaços social e geográfico. Ele materializou a sua existência construindo as condições fundamentais e básicas, ocupando espaços, construindo a realidade.*

---

5. Territorialização da luta pela terra é o processo de conquista da terra. Cada assentamento conquistado é uma fração do território onde os sem-terra vão constituir uma nova comunidade. O assentamento é um território dos sem-terra. A luta pela terra leva à territorialização porque, com a conquista de um assentamento, abrem-se as perspectivas para a conquista de um novo assentamento. Cada assentamento é uma fração do território conquistada, e a esse conjunto de conquistas chamamos territorialização. Assim, a cada assentamento que o MST conquista, ele se territorializa. E é exatamente isto que diferencia o MST dos outros movimentos sociais. Quando a luta acaba na conquista da terra, não existe territorialização. A estes chamamos de movimentos isolados, porque começam a luta pela terra e param essa luta na conquista da terra. Os sem-terra organizados no MST, ao conquistarem a terra, vislumbram sempre uma nova conquista, e por essa razão o MST é um movimento socioterritorial.

João Pedro: Isso é importante porque também ajudou a romper um pouco com o que assimilamos da Igreja, que é ser mais humilde e dizer: "Não, deixa que os outros ocupam". Nessa concepção não tem como deixar para os outros. Ou tu fazes, ou não resolves o problema.

ORGANIZAÇÃO

BERNARDO: *O MST hoje trabalha em várias frentes, como as lutas por reforma agrária, produção de alimentos, educação, melhoria da qualidade da saúde e de vida da população que está na organização etc. Isso tudo não extrapola o papel de um movimento social e o transforma em organização política?*

JOÃO PEDRO: Concordo. Para o MST, o mais importante é manter o vínculo de movimento de massas. Na interpretação das esquerdas, uma organização política é uma organização fechada, de quadros e tal. Queremos organizar o povo. No momento em que o MST perder sua base social ou o contato com o povo, aí se foi. Podemos ser os mais sabidos da reforma agrária no Brasil, mas não vamos ter nenhuma força. Gostaria que essa vontade política estivesse presente não apenas no conceito. Somos uma organização política e social de massas ou dentro do movimento de massas. Até para não induzir a falsas interpretações de que somos um grupo bem-preparado e vamos resolver sozinhos o problema da reforma agrária.

BERNARDO: *A ideia de movimento de massas permeia toda a forma de atuação e organização do MST. Se é assim, podemos dizer que o movimento traz novas referências? Precisamos repensar o próprio conceito de movimento de massas?*

JOÃO PEDRO: É possível. Talvez seja esta a grande contribuição histórica que o MST pode dar a outros movimentos de massas: "Vocês não têm futuro se não aplicarem princípios organizativos, se não se constituírem como organização política no sentido de luta de classes, e não partidária".

BERNARDO: *Como acontece o processo eleitoral no MST?*
JOÃO PEDRO: A discussão maior acontece nos Estados. É lá que são discutidos os nomes, feitas as avaliações dos que já ocupam algum cargo e analisados os possíveis candidatos novos. É um processo mais democrático, uma vez que envolve um número maior de pessoas nas discussões. Também é mais sério, porque pode ser feito com um tempo maior e seguindo uma metodologia apropriada para cada realidade regional ou orgânica. Por exemplo, é diferente fazer essa discussão num assentamento já estruturado, com cooperativa funcionando, e num acampamento. Por último, é mais educativo tanto para quem escolhe como para quem é indicado para o cargo, uma vez que a discussão gera um compromisso de ambos os lados. Os nomes sugeridos irão compor a Direção Nacional, ratificados num evento nacional que pode ser o Encontro Nacional ou uma reunião anual da Coordenação Nacional. Não há espaço para isso nos Congressos Nacionais.

BERNARDO: *As indicações sempre são aceitas?*
JOÃO PEDRO: Não. Às vezes aparecem mais indicados do que o número de vagas. Aí se faz uma votação, que nunca exigiu muito tempo ou criou grandes impasses. Na verdade, a votação é uma espécie de formalização do debate político que já aconteceu nos Estados. Reservamos os eventos nacionais para a confraternização da militância, para conhecer as diferenças regionais do povo brasileiro, para fortalecer a identidade do MST.

O segundo grande objetivo dos eventos nacionais, ao uniformizarmos o debate, é proporcionar momentos de estudo para toda a militância. É a oportunidade que a militância tem de ter contato com estudiosos, especialistas, professores de alto nível. Normalmente, são professores de universidades, personalidades reconhecidas ou políticos do cenário nacional. A militância sai com o mesmo entendimento, sabendo quais são os grandes debates que estão sendo feitos internamente no MST e no cenário político do país.

Por último, há também o objetivo de aproveitar os eventos nacionais para definir as grandes linhas políticas, sem cair naquelas discussões improdutivas das grandes teses ou documentos, que servem somente para massagear o ego de quem os faz. Há eventos em que os participantes ficam discutindo um catatau com mais de 200 páginas ou com mais de 300 reivindicações. Não fazemos isso em nossos eventos.

BERNARDO: *Ou seja, vocês não discutem aquele conjunto de teses que cada corrente traz. Vocês discutem linhas políticas comuns a todos. Nos Estados, serão discutidas as formas como essas linhas serão implementadas, de acordo com a realidade de cada um.*
JOÃO PEDRO: Exatamente. As questões específicas ficam para os Estados. Senão tu corres o risco de querer uniformizar tudo, sem respeitar as diferenças regionais. É fundamental respeitar essas diferenças regionais quando se trata de uma realidade ligada à agricultura. Há ainda diferenças climáticas e geográficas que devem ser respeitadas também. Assim, é importante que se dê a oportunidade para cada Estado decidir como implementar as linhas políticas definidas num evento nacional.

BERNARDO: *Como vocês construíram essa metodologia e essa forma de organização?*
JOÃO PEDRO: Como um processo. As pessoas também traziam para o MST experiências de outras organizações.

O importante é ter a abertura para aprender com todos. Isso é outro erro que, frequentemente, as organizações de esquerda cometem: "Se for daquela corrente não aceito, se for de tal linha teórica não presta, se vier daquela fonte tem que ser combatida". Primeiro, temos uma abertura para aprender; depois, veremos se serve ou não para a nossa organização, dentro dos objetivos estratégicos que temos traçado. Se servir, vamos usar, independentemente de onde veio.

Bernardo: *A direção nacional é formada por quantos membros?*
João Pedro: Por 21 pessoas, escolhidas no processo que descrevi antes, em que a ênfase é na discussão que acontece nos Estados. Um nome, para ser aprovado, deve receber, no mínimo, 50% dos votos mais um. Se não atingir esse percentual, não pode compor a direção.

Bernardo: *Diminui o número de membros da direção nacional se uma pessoa não atingir esse percentual?*
João Pedro: Diminui. Ela tem de ter, no mínimo, a representatividade da metade do movimento. Se ela não tem é porque não é conhecida, não tem o respaldo da base. Quem ocupa um cargo nacional obrigatoriamente precisa do respaldo da base, das instâncias estaduais. Isso nos protege de termos na direção nacional um aventureiro ou um oportunista. Nos Estados, todos se conhecem e cada um conhece as características e as qualidades dos militantes.

Bernardo: *Isso também é uma característica original.*
João Pedro: É. Por isso é que realizamos muita *mística* nos encontros e nos congressos nacionais. Exatamente por causa dessa partilha, da construção da unidade. Espero não estar cometendo nenhum sacrilégio, mas vemos os encontros e os congressos como uma Meca, para

onde converge a militância, para se unir, para fortalecer os laços de unidade. Queremos sair dos encontros com as baterias carregadas, com ânimo e vontade de lutar. E não o contrário, desanimados e cansados de brigar entre nós mesmos.

BERNARDO: *Os impasses, quando surgem, como são resolvidos no MST?*
JOÃO PEDRO: Recuamos sempre que houve votações de empate ou vitória por uma pequena maioria. Nunca decidimos pelo número: "Deu 51%, está decidido e pronto". Quando tu sentes que não é a grande massa que está convencida por aquela decisão, é preferível esperar um pouquinho mais. Isso está ligado à ideia de gestação de que estávamos falando. Assim, quando se tomam as decisões no movimento, em geral elas são quase unânimes. Isso não está em nenhum regulamento interno. Acho que foi se criando essa sensibilidade de que, quando a coisa é muito empatada, não vale a pena insistir. É preciso amadurecer mais. Se uma ideia foi vitoriosa por pequena margem, ou se comprova na prática que não era o melhor momento para adotá-la, ou ela ressurge com mais força num outro momento. Não me lembro de decisões implementadas assim, por pequena margem de votos. A tradição do movimento é a de implementar o que de fato é um sentimento generalizado, o que nos impede de cometer erros maiores.

BERNARDO: *O MST tem uma diversidade enorme. Dentro das instâncias, sejam nacionais ou estaduais, há gente que trabalha na frente de massas, na Concrab, no Setor de Educação etc. Isso dá um caráter diferente ao movimento, do qual não temos ainda um conceito pronto.*
JOÃO PEDRO: É verdade. Tudo é muito grande e há espaço para todos. Essa é a nossa riqueza. Aliás, foi isso que o companheiro Luiz Antonio Pasquetti, o Tonico, falou em

seu discurso ao receber o Prêmio Josué de Castro[1]: que se sentia honrado e orgulhoso em pertencer a uma organização na qual cabem todas as pessoas; indepedentemente da formação, do conhecimento, há tarefas para todos.

---

1. O MST promove o Prêmio Luta pela Terra, que homenageia pessoas que lutam pela reforma agrária na sociedade e também militantes do MST que se destacam. O Prêmio tem diversas categorias, e cada uma leva o nome de um grande lutador social. O Prêmio Josué de Castro contempla aqueles que estão em tarefas técnicas e administrativas.

INSTÂNCIAS

BERNARDO: *Quando o movimento nasceu em 1984, quantos setores possuía?*
JOÃO PEDRO: Nenhum com esse nome. Fazíamos atividades.

BERNARDO: *Como é que se chamava?*
JOÃO PEDRO: Comissão Nacional, uma instância deliberativa que contava com o *Jornal Sem Terra*, aprovado em 1984, e que, mais tarde, viria a ser o Setor de Comunicação. A Secretaria Nacional também foi criada em 1984. Tinha que ter um ponto de referência nacional. Decidimos que deveria ser em São Paulo por ser uma cidade central, mais próxima das organizações dos operários. Agora, na prática, cada Estado tinha o seu ponto de referência. Por exemplo, a secretaria do movimento de Santa Catarina funcionava numa casa cedida pela diocese de Chapecó. A partir de 1984, decidimos que o movimento deveria ter referências próprias. Mas ainda era um processo de construção. Éramos dependentes de quem nos apoiava. Por exemplo, no Rio Grande do Sul, o Centro de Assessoria Multiprofissional (Camp)[1], que era uma entidade de apoio, cedeu duas, três salas para o movimento se formar. No Paraná, acho que a primeira secretaria funcionou junto com o Centro de Formação dos Trabalhadores (Cefuria)[2], também uma entidade de apoio, que existe até hoje. Era um centro de formação e alfabetização.

1. Criada em 1983, em Porto Alegre, é uma entidade de assessoria aos movimentos sociais e sindicais. Reuniu militantes de diversas formações profissionais que atuavam de forma voluntária na assessoria técnica e formativa dos movimentos sociais do Rio Grande do Sul.

2. Entidade de assessoria educacional aos movimentos de trabalhadores, sediada em Curitiba.

3. Cidade localizada no extremo oeste de São Paulo, próxima ao rio Paraná, onde havia um trabalho pastoral da Igreja Católica. Foi nesse município que se realizou a primeira ocupação de terra que veio a dar origem ao MST em São Paulo. Trata-se da Fazenda Primavera, desapropriada no governo Figueiredo.

Em Andradina³, São Paulo, era atrás da igreja daquela cidade. E assim por diante...

BERNARDO: *Quando foi que o movimento tomou a forma que tem hoje?*
JOÃO PEDRO: Foi adquirindo com o tempo. É a história do processo, que já relatei anteriormente. Ninguém imaginava que iria ter um Setor de Produção, de Assentamentos etc. Este último setor, por exemplo, começou basicamente em 1986, quando realizamos o I Encontro Nacional dos Assentados, em Cascavel (PR). Como a maioria dos assentamentos era da região Sul, aquele Encontro Nacional resolveu ter como bandeira principal a luta por crédito. Discutimos uma nova linha de crédito do BNDES⁴. Daí nasceu a Comissão Nacional dos Assentados. Seria o que hoje é a diretoria da Concrab. Geraldo Garcia⁵, do Mato Grosso do Sul, Antoninho Campigotto⁶, do Rio Grande do Sul, Edmundo Gonçalves Pereira⁷, do Espírito Santo, e outros fizeram parte dessa comissão.

A comissão se desenvolveu e resultou no Setor de Assentamentos. Mais tarde, com o avanço na estruturação dos assentamentos, começamos a discutir as cooperativas. No início, a ideia era de uma cooperativa nacional de crédito. Estudando, vimos que não era a melhor alternativa. Aí criamos o Sistema Cooperativista dos Assentados (SCA).

BERNARDO: *Além das instâncias nacionais...*
JOÃO PEDRO: Também é importante se lembrar dos encontros estaduais, uma vez que são preparatórios ao Encontro Nacional. E lá se constroem as mesmas instâncias em nível estadual.

BERNARDO: *As decisões são tomadas na interação entre todas essas instâncias?*

---

4. Banco Nacional de Desenvolvimento Econômico e Social (BNDES), com sede no Rio de Janeiro, principal organismo financeiro do governo federal para projetos de investimento.

5. Técnico agrícola, um dos fundadores do MST no Estado de Mato Grosso do Sul, atuou na organização dos assentamentos. Posteriormente, foi presidente do Diretório Regional do PT (MS) e membro do Diretório Nacional do PT. Geraldo faleceu em acidente de carro em fevereiro de 1998, em Roraima.

João Pedro: Sim. Mantendo a linha política, proporcionamos liberdade na forma da sua implementação e, como já disse antes, de acordo com cada realidade estadual. Somos centralizados na linha política; o jeito de aplicar é completamente descentralizado.

Bernardo: *O MST é centralizado com relação às suas linhas políticas, que são definidas de acordo com seus princípios. Vimos princípios de formas, de funcionamento, de organização etc. Quais são os princípios das linhas políticas? O MST defende a luta de classes como um princípio?*
João Pedro: Não. Podemos incluir a luta de classes em nossa doutrina, como está em nosso documento básico.

Bernardo: *Doutrina não é uma palavra carregada de um sentido pejorativo?*
João Pedro: Pode ser. Doutrina não significa nada mais do que um conjunto de princípios que pode servir de base para um sistema filosófico, religioso, político ou até mesmo científico. Digo isso porque quero aproveitar a oportunidade para fazer uma crítica aos que se deixam levar pelo modismo. O termo socialismo também ficou bastante desgastado após a queda do Muro de Berlim. A burguesia, com todo seu poder de mídia, seu aparato ideológico, conseguiu associar o socialismo com o atraso, com o subdesenvolvimento, com um sistema ultrapassado. Tanto é que são chamados de "dinossauros" os que continuaram defendendo os ideais socialistas. Quantos, da chamada esquerda moderna, se deixaram levar por essa onda? Contra essa maré, continuamos defendendo os ideais socialistas. Fracassou um modelo, mas continuamos convictos de que o socialismo, em relação ao capitalismo, significa uma avanço para a humanidade. O mesmo aconteceu com a reforma agrária. Até há pouco tempo, fazia papel de ridículo quem defendesse

6. Líder do MST no acampamento da Encruzilhada Natalino (RS) desde 1981. Depois de assentado em Nova Ronda Alta, participou da Comissão Nacional dos Assentados do MST.

7. Hoje assentado, participou da fundação do MST no Espírito Santo. Fez parte da primeira Comissão Nacional dos Assentados.

a reforma agrária no Brasil. Setores da esquerda caíram nessa armadilha. Hoje o tema está presente em todos os debates do cenário político nacional.

Se não aprendermos a resistir, estaremos sempre a reboque das ideias, dos discursos, da verdade que as elites procuram impor à sociedade. Chamo isso de modismo porque é passageiro, não é real. Não resiste por muito tempo e só afeta os que não têm nenhuma referência firme para se contrapor à ofensiva burguesa. Olha aqui outro termo que deixa muita gente envergonhada em usá-lo: burguesia.

A nossa doutrina está expressa em nosso programa de reforma agrária. Ali estão as linhas políticas, as linhas estratégicas para a reforma agrária e para o desenvolvimento do país.

BERNARDO: *As instâncias representam o poder político do movimento?*
JOÃO PEDRO: Para aplicar o programa e as linhas políticas.

BERNARDO: *O programa é a estratégia e as linhas são as táticas utilizadas para a realização desse programa. Essa terminologia é mais adequada?*
JOÃO PEDRO: É também mais pedagógica. Na aplicação do programa e das linhas políticas, o que se espera – e se estimula – é que haja criatividade e descentralização. Queremos que todo mundo faça ocupação de massas, mas não precisa ser tudo igual, na mesma época, ao mesmo tempo.

BERNARDO: *Nessas instâncias também existe a iniciativa de renovação. Ela acontece em todos os encontros? É uma norma?*
JOÃO PEDRO: As normas internas estabelecem que quem é eleito tem mandato de dois anos. Antes do término do mandato, qualquer um pode renunciar ou ser afastado

por decisão das instâncias, o que é normal em qualquer organização. O mandato não é sagrado, não torna intocável quem foi eleito. Outra característica, no mandato de dois anos, é que nesse período a pessoa passa por uma profunda avaliação. Tu podes ser reconduzido ao cargo ou não, dependendo da avaliação feita por todo o movimento. Isso faz com que não haja aquela sensação de perenidade em relação aos eleitos. Até poderia ser um problema porque, a cada dois anos, é necessário fazer eleições. Mas, ao contrário, o método tem se mostrado bastante pedagógico.

BERNARDO: *É possível se reeleger? Há normas para garantir a renovação?*
JOÃO PEDRO: Sim, é possível, dependendo da avaliação interna que o MST fizer sobre o desempenho da pessoa durante seu mandato, das necessidades da organização e da disponibilidade da própria pessoa. Quanto à renovação, não há uma norma definida ou preestabelecida. No entanto, tornou-se uma praxe renovarmos, a cada eleição, em torno de 30% dos membros, o que proporciona o surgimento de novas lideranças e novas referências para a sociedade.

BERNARDO: *Há limite de idade para assumir um cargo eletivo?*
JOÃO PEDRO: Não existe limite de idade. Ao contrário, há até um certo incentivo, implícito, para a participação da juventude.

BERNARDO: *E quanto à participação da mulher?*
JOÃO PEDRO: Não existe regra estabelecendo uma cota para as mulheres. A participação das mulheres é definida pelo seu próprio envolvimento com a luta. Na atual direção nacional, alcançamos a marca de 30%, mesmo sem ter essa porcentagem estabelecida em normas internas.

Há a preocupação permanente de promover a participação da mulher em todas as instâncias, setores e atividades do MST. Das 21 pessoas que compõem a direção nacional, seis são mulheres. Elas respondem pelos Estados do Rio Grande do Sul, Rio de Janeiro, Rio Grande do Norte, Ceará, Bahia e Mato Grosso.

BERNARDO: *No I Congresso Nacional, em Curitiba, havia a discussão se o MST deveria se preocupar só com ocupação de terra ou também com assentamento.*
JOÃO PEDRO: Não, nesse Congresso não. Essa discussão aconteceu no Encontro Nacional dos Assentados. Alguns assentados propuseram isso: "Como já somos assentados, não precisamos mais estar ligados ao MST". Essa discussão foi muito perigosa. Lembro-me de que até tinha surgido, nos corredores, a insinuação de que deveríamos fazer um "Movimento Pé no Chão", ou uma coisa assim.

BERNARDO: *Quem convocou o Encontro dos Assentados?*
JOÃO PEDRO: A direção do MST. O objetivo era discutir uma nova linha de crédito que o BNDES estava propondo. O BNDES, na Nova República, tinha na sua diretoria um professor da Unicamp, o Carlos Lessa. Era um desses intelectuais do PMDB antigo, com uma sensibilidade muito grande para a agricultura e que tinha a ideia de que a reforma agrária iria desenvolver o mercado interno. Sei que ele era muito amigo do Celso Furtado. Por isso, realizamos o Encontro Nacional dos Assentados para discutir a proposta dele e definir uma do MST. Fizemos dezenas de negociações no BNDES.

BERNARDO: *O movimento foi tomando forma de acordo com o seu desenvolvimento histórico?*
JOÃO PEDRO: E com a necessidade.

BERNARDO: *O Setor de Frente de Massas foi o primeiro?*
JOÃO PEDRO: Sim, mas não com esse nome.

BERNARDO: *Como era chamado? Comissão de Ocupação?*
JOÃO PEDRO: Não. Frente de Massas mesmo, que começou a aparecer lá por 1989 ou 1990. Em meados de 1985, surgiu a União Democrática Ruralista (UDR)[8], que começou a aplicar uma tática de repressão. Reunimos os companheiros que estavam mais ligados às ocupações para trocar experiências de como enfrentar a UDR. Esses companheiros, que se preocupavam em se aprimorar sobre as formas que os nossos inimigos utilizavam, começaram a chamar de Frente de Massas. A rigor, tudo no movimento começa pela Frente de Massas.

BERNARDO: *A Frente de Massas é a porta de entrada?*
JOÃO PEDRO: É a porta de entrada da nossa base.

BERNARDO: *Sobre o termo "setor", houve um momento em que o MST pensou: "Vamos rever toda a forma de organização, comissão não serve, vamos chamar de setor"?*
JOÃO PEDRO: Não, não, até hoje há muita confusão. Na medida em que vai surgindo uma nova atividade, não se sabe como apelidá-la. Nunca tivemos a preocupação de ter um organograma certinho, aliás nunca existiu organograma no MST. As coisas foram acontecendo de acordo com a necessidade. Temos várias atividades, mas nem todas se caracterizam como setor, porque algumas são mais nacionais, outras mais estaduais. Por exemplo, às vezes fazemos confusão com a Secretaria de Relações Internacionais. Uns acham que é secretaria, outros, que é setor. O principal é ir desenvolvendo a atividade. É irrelevante o nome que mais tarde daremos a ela. De dois anos para cá, começamos um trabalho específico com

8. Fundada em 1985 por fazendeiros muito atrasados do setor pecuarista e contrários à reforma agrária. No início atuou mais em Goiás, sul do Pará, Pontal do Paranapanema (SP) e Triângulo Mineiro; depois Espalhou-se por vários Estados. Atuava de diversas formas, organizando os fazendeiros, articulando milícias armadas, pressionando o governo e os parlamentares. Teve destacada atuação contra a reforma agrária durante a Constituinte. Seu declínio começou no fim de 1988, quando foi assassinado, no Acre, Chico Mendes, dirigente sindical e lutador a favor da reforma agrária. Sua morte foi encomendada pelos fazendeiros da UDR. A mesma acusação pesa contra ela no assassinato do padre Josimo Tavares, em 1986, em Imperatriz (MA). Seu ocaso completou-se em 1989, quando lançou seu principal dirigente (Ronaldo Caiado) como candidato à presidência da República, isolando-se dos demais partidos conservadores. A partir de 1990, encerrou suas atividades. Foi reaberta em 1996, mas somente na região do Pontal do Paranapanema, com uma insignificante participação de fazendeiros retrógrados. A sociedade brasileira e a opinião pública refutaram a UDR desde a sua fundação em virtude de seus métodos violentos e de suas propostas políticas atrasadas.

mulheres. Há um coletivo nacional que produz material, faz uma reflexão mais teórica sobre a questão de gênero, mas isso não é setor, não significa que todos os Estados tenham coletivos de mulheres.

BERNARDO: *Mas é um coletivo?*
JOÃO PEDRO: É um coletivo que está desenvolvendo uma atividade. Pode ser que continue coletivo o resto da vida, pode ser que amanhã ou depois vire um setor. Outro exemplo é o trabalho que desenvolvemos com os estudantes. Por enquanto é um grupo de trabalho. Pode ser que, mais tarde, se transforme em setor. Ninguém sabe. Nunca demos muita importância para essa terminologia. Ao contrário, sempre dissemos que isso era coisa de intelectual que não tem nada o que fazer. Ou, então, porque o pessoal está acostumado a formalizar tudo. Nós, não. Acho que é em decorrência disso que os anarquistas gostam da gente. Se não der certo, a gente desmancha e faz outro. Não tem esse compromisso burocrático.

Produção e Cooperação Agrícola

BERNARDO: *Como a Confederação das Cooperativas de Reforma Agrária do Brasil (Concrab) foi pensada e como vem se desenvolvendo?*
JOÃO PEDRO: Em primeiro lugar, há que se fazer um histórico de como foi debatido o problema da produção. A Concrab, como uma instância superior do nosso sistema cooperativista, é resultado de um processo. Ela não é um objetivo. Na primeira etapa do movimento, que vai desde as primeiras ocupações de 1979 até 1985, havia uma visão romântica da produção. Isso porque a memória histórica dos camponeses que conquistavam a terra estava ainda na etapa anterior à modernização da agricultura. A família foi expulsa pela máquina, mas o seu memorial técnico era do boi e da enxada. Ela sonhava: "Bom, fui expulsa pela máquina. Agora, se eu reconquistar minha terra, vou conseguir criar meus filhos e progredir na vida com o boi e com a minha enxada. Na década de 1960, nossos pais conseguiram criar a gente dessa maneira". Essa era a memória técnico-produtiva do povo. Era muito difícil fazer a discussão da organização da produção com os trabalhadores. Com esse memorial técnico, vamos dizer assim, a base reagia da seguinte forma: "Se eu conquistar a terra, depois me viro". Isso fazia com que a turma tivesse o cuidado, pelo menos no Centro-Sul, de que a terra fosse de boa qualidade. Vou dar um exemplo, até meio folclórico. Lembra que falei que tinha umas 500 famílias acampadas na beira da estrada, em Nonoai? Muitas delas

não quiseram participar da ocupação da Macali nem da Brilhante, porque era terra de campo. Elas não estavam acostumadas a trabalhar com esse tipo de terra. O negócio delas era terra com mato, como era na área dos índios, de onde foram expulsas. "Isso é terra que não presta, e eu não vou me dar bem", diziam. No entanto, aquelas terras de campo são as melhores do Rio Grande do Sul. Toda a área é mecanizável. É claro que precisa de toda uma outra técnica que eles não dominavam.

Esse é o exemplo de como o pessoal reagia. Era muito difícil fazer as discussões sobre como organizar a produção. Não havia nenhuma disposição. A pessoa queria terra. E isso, de certa forma, favoreceu também o governo, porque o isentava das outras obrigações ligadas à produção.

O único debate que conseguimos, nessa época, era pelo viés idealista, cristão: "Será que não é melhor a gente trabalhar junto? Será que a gente não vai viver mais fraternalmente se fizer mutirão?" Não era uma visão, vamos dizer, cientificamente elaborada. As principais lideranças do movimento, nesse período, se preocupavam em debater teoricamente, aprender com as experiências históricas, ler textos para compreender a importância da cooperação agrícola. Na nossa visão, ocupar e distribuir terras simplesmente não resolvia o problema. Aquele primeiro período foi muito fraco de debate, mas de grande preocupação. De um lado, porque a grande preocupação, em termos gerais do movimento, era de se consolidar como movimento social; de outro, porque a própria base achava que podia resolver o problema só com as próprias forças. Foi preciso então que a própria base do movimento – os assentados – começasse a enfrentar os problemas reais: necessidade de mecanizar as lavouras, mudança de padrão técnico do seu trabalho, acesso ao crédito etc. É também um período que coincide com o fim da ditadura militar e com o término daquela onda de créditos subsidiados. Para quem não sabe, o crédito subsidiado foi a base de sustentação da ditadura militar na pequena agricultura. O subsídio atingia até 30% ou 40% sobre o total financiado.

Esse subsídio terminou em 1985 ou 1986, durante a Nova República. Aí, o cinto apertou para todo mundo. A partir desse momento, a primeira luta do MST ligada à produção aconteceu em 1986, como falei anteriormente, por uma linha de crédito subsidiado. Em outras palavras: um crédito especial para reforma agrária. Nessa luta toda, o movimento foi amadurecendo. De 1986 até 1990, as articulações e os debates eram em torno do Programa de Crédito Especial da Reforma Agrária (Procera)[1], tanto por parte da gente como do próprio pessoal do Procera e do BNDES. Começamos a ter técnicos vinculados à nossa ideologia, como é caso de Lino de David, do Rio Grande do Sul, que mais tarde organizou o Centro de Técnicas Agropecuárias Alternativas (Cetap)[2], de Geraldo Garcia, de Norbert Hesselen[3], também do Rio Grande e que veio para São Paulo assessorar o MST em nível nacional, entre outros. Esses técnicos, com nossa ideologia, começaram a assessorar o movimento e iniciaram um debate mais sistematizado sobre a necessidade da cooperação agrícola. Nesse período de quatro anos, difundimos as ideias da cooperação agrícola.

O maior acerto, nessa etapa, foi que não nos prendemos a uma forma única de cooperação agrícola. Aprendemos bem da teoria e da experiência, porque esses companheiros que estavam na Comissão Nacional dos Assentados estudaram e pesquisaram bastante. Estudaram muito os motivos que faziam com que as experiências de cooperativas no Brasil não dessem certo. Viajaram muito também. Lembro-me de que esses companheiros viajaram para Nicarágua, Honduras, Cuba, Peru, Chile, México. Mais recentemente, já na etapa do sistema cooperativista mesmo, conhecemos experiências da Espanha e de

1. Este programa era uma reivindicação dos assentados do MST, que passaram a exigir do governo Sarney financiamento com juros e prazos diferenciados dos concedidos aos demais agricultores. O Procera foi organizado a partir de 1986, com dotação de recursos do Finsocial por meio do BNDES. A partir de 1990, o programa passou a ter recursos do Orçamento da União e também dos fundos constitucionais do Nordeste, do Norte e do Centro-Oeste.
O governo tem aplicado em torno de 100 milhões de dólares por ano nessa linha de crédito. Atualmente é gerenciado pelo Banco do Brasil e pelo Banco do Nordeste.

2. Criado pelos movimentos populares e pelo MST para desenvolver pesquisas e difundir técnicas agropecuárias alternativas e adequadas ao meio ambiente e à realidade dos assentados e pequenos agricultores. O Cetap dispõe de uma área de 40 hectares no assentamento Sarandi, dentro da Fazenda Annoni, no Rio Grande do Sul.

3. Foi um dos primeiros agrônomos a atuar como militante do MST na organização do setor de assentamentos.

Israel. Nessa primeira fase, basicamente fomos ver na América Latina quais eram as experiências existentes e que ensinamentos poderíamos ter para a nossa realidade. Nesse período, o movimento sofreu também uma certa influência do Clodomir Santos de Moraes, com os tais laboratórios para organizar cooperativas ou empresas associativas.

BERNARDO: *Como foi o desenvolvimento dessa experiência com o Clodomir de Moraes? Ela vingou? Contribuiu em certos aspectos?*

JOÃO PEDRO: Ele é muito ortodoxo na sua proposta. Acha que é possível, por meio do laboratório organizacional, como ele chama, reunir de 50 a 100 famílias que queiram se organizar. Durante um mês no assentamento, se introduz a divisão do trabalho para poder sobreviver durante o próprio curso. Com a assimilação de que a divisão do trabalho é fundamental para o aumento da produtividade, trabalha com essas duas teses principais: a) o camponês precisa compreender que só a divisão do trabalho vai aumentar a produtividade e, portanto, aumentar a renda e o bem-estar; b) só a divisão do trabalho vai permitir elevar a sua consciência social de camponês individualista para um sujeito que percebe que é apenas mais um no sistema social. Portanto, aplicando esse método, ele evoluiria para uma consciência social diferente da do camponês típico.

BERNARDO: *Isso foi em que período?*

JOÃO PEDRO: Em 1988. Friso que o período de 1986 a 1990 foi de descoberta. Sabíamos que não dava certo o sistema de lotes individuais para trabalhar com boi e enxada. Do ponto de vista da reivindicação, uma das saídas era o crédito subsidiado, e aí conquistamos o Procera. Essa conquista ainda não resolvia o problema da organização da produção. O caminho que adotamos

4. Primeira cooperativa de produção agropecuária a partir do método de laboratório de campo desenvolvido pelo professor Clodomir de Moraes, na qual todas as atividades produtivas eram coletivas. Posteriormente, a cooperativa enfrentou muitos problemas de diversas origens, que foram inclusive objeto de estudo do professor Zander Navarro (cf. nota 7, p. 99). Ao encerrar suas atividades, restaram apenas alguns grupos coletivos entre parentes e lotes individuais.

5. Município criado recentemente, desmembrou-se de Palmeira das Missões (RS). Nessa região, conhecida como Alto Uruguai, os pequenos agricultores sempre tiveram uma participação política muito grande. Organizaram o sindicato, depois fundaram uma cooperativa e, após a emancipação da localidade, conquistaram a prefeitura municipal.

foi o de começar a discutir com a base para ver o que existia, na literatura, de experiências acumuladas sobre a cooperação agrícola. Começamos a querer conhecer as experiências da Nicarágua, do Peru, de Cuba, do Chile e a contatar pessoas – professores e especialistas – estudiosas do assunto. Foi aí que conhecemos o Clodomir de Moraes. Ele apresentou sua proposta de teoria da organização. Em 1988, fizemos o primeiro laboratório de campo, em Palmeira das Missões (RS), seguindo suas orientações. Depois publicamos o livrinho de sua autoria – *Teoria da organização* – e passamos a utilizá-lo em nossos cursos.

BERNARDO: *Como foi a experiência com o laboratório de campo?*

JOÃO PEDRO: A proposta do laboratório organizacional mostrou certas limitações. Até a experimentamos, como no caso da Cooperativa da Nova Ramada[4], em Júlio de Castilhos (RS). Ela foi criada assim: fizemos um laboratório e o seu resultado foi a formação da cooperativa. Fizemos, também, uma experiência com pequenos agricultores de Novo Barreiro[5]. A cooperativa funciona até hoje, porém como cooperativa de comercialização.

Ali perto está nosso Centro de Formação de Palmeira das Missões, conhecido como "centrão". Paulo Cerioli[6] era, à época, padre em Novo Barreiro. Ele viu a experiência de laboratório, achou a ideia interessante e aplicou-a junto a seus paroquianos. Deu certo. Bem, depois disso tentamos fazer outros laboratórios no intuito de organizar cooperativas. Não deu certo porque, em primeiro lugar, o método é muito ortodoxo, muito rígido na sua aplicação. Em segundo, porque ele não é um processo, é muito estanque. Ou seja: tu reúnes a turma e em 40 dias tem que sair com a cooperativa. A experiência nos assentamentos nos mostra que esse processo é mais lento. Em geral, os grupos de cooperação agrícola já vêm se formando nos

6. Sacerdote da congregação Servos de Maria. Como educador popular, assessora o MST e os pequenos agricultores da região do Alto Uruguai. Também é um dos organizadores dos cursos Técnicos de Administração Cooperativista (TACs), ministrados pelo Instituto Técnico de Ensino e Pesquisa em Reforma Agrária (Iterra).

acampamentos em função de afinidades que vão se criando. Não estou discutindo se isso é certo ou não, ou se é por isso que a cooperação se desenvolve ou fracassa. O que eu estou dizendo é que a nossa experiência é essa. Ou seja, quando tentamos aplicar um sistema rígido, não deu certo. Por outro lado, o método do Clodomir teve uma grande utilidade ao nos abrir para essa questão da consciência do camponês. Ele trouxe um conhecimento científico sobre isso. O seu livro sobre a teoria da organização mostrou com clareza como a organização do trabalho influencia na formação da consciência do camponês.

O que importa, para a nossa história, é que entre 1986 e 1990 vivemos um período de maturação, sistematização e estudo, de aprender o que queríamos. Sistematizamos esse aprendizado num caderno de formação sobre "as formas de cooperação agrícola". Chegamos a essa concepção: "Olha, de fato, temos que estimular a cooperação agrícola. Essa é a meta. Só a cooperação agrícola vai fazer com que possamos desenvolver melhor a produção, introduzir a divisão do trabalho, permitir o acesso ao crédito e às novas tecnologias, permitir e manter uma aglutinação social maior nos assentamentos, criar condições ou facilidades para trazer energia elétrica, água encanada, colocar a escola perto do local da moradia". Dessa constatação veio a compreensão de que seria fundamental que os assentamentos tivessem agrovilas próximas aos lotes do trabalho. A agrovila é um elemento de aglutinação importante para o desenvolvimento social da comunidade.

BERNARDO: *Você falou que o aprendizado que o MST teve nesse período mostrou que há várias formas de cooperação agrícola. Como é isso?*
JOÃO PEDRO: É verdade. Aliás, as formas não podem ser rígidas, devem ser variáveis. Podem ser formas mais simples, como um mutirão, em que os vizinhos combinam

uma atividade conjunta para todo mundo fazer. Às vezes apenas trocando dias de serviço, sem nenhum pagamento, nenhum ganho material. É apenas uma ajuda mútua. Há desde formas simples de ajuda mútua, que já fazem parte da tradição camponesa, até formas mais complexas que desenvolvemos. É quando um assentamento se transforma numa cooperativa agropecuária de produção e instala pequenas agroindústrias. Em resumo, a agroindústria é a forma mais complexa de cooperação agrícola de um assentamento.

BERNARDO: *Depois desse período de aprendizado sobre a cooperação agrícola, como você caracteriza a fase seguinte?*
JOÃO PEDRO: Antes de ir para a segunda fase, quero ressaltar alguns aspesctos que julgo importantes. Naquele período de 1986 a 1990, o grande avanço que obtivemos foi o desenvolvimento dessa teoria da cooperação agrícola, de compreendê-la como fundamental. Aprendemos também que as formas de aplicação da cooperação agrícola deveriam ser flexíveis. É preciso levar em conta as condições objetivas e subjetivas da comunidade que vai aplicá-la. As condições objetivas são o nível de acumulação de capital existente, o tipo de produto que é possível produzir, as condições naturais existentes no assentamento. Pense no seguinte: é possível implantar um laticínio num assentamento lá na Amazônia, onde só é possível o extrativismo? O leite precisará percorrer 500 km até a cidade mais próxima. Certamente será o leite mais caro do mundo. As condições objetivas daquela região inviabilizam uma iniciativa desse tipo. Influenciam também nas condições objetivas o grau de acumulação de capital que as famílias já têm, porque, quanto mais pobres as famílias forem, menor será o nível de cooperação agrícola. Já as famílias com acesso a crédito, ao Procera, por exemplo,

têm um nível de acumulação maior. Se existe capital social naquela comunidade, aí sim é possível implantar as formas de cooperação agrícola mais complexas para gerir aquele capital.

As condições subjetivas são o grau de consciência política e a história de participação de uma determinada comunidade adquiridos na luta pela conquista da terra. Fico imaginando qual é o nível de consciência desses grupos corporativistas estimulados por um vereador... Qual é o tipo de cooperação agrícola que esses grupos vão conseguir adotar nos seus assentamentos? Nenhum, porque a base deles é o oportunismo. "Eu quero a minha terra, depois que eu tiver a minha terra, dane-se o mundo", pensam. O futuro dessas famílias que estão aglutinadas nesses movimentos é, no primeiro fracasso, vender o lote. Não há outra saída porque as condições subjetivas são mínimas, não existe organização social, não existe consciência social de que a sua força vem da organização. Se tivessem essa consciência se uniriam, porque, quanto maior o número, maior é a força.

Nos assentamentos, essas condições subjetivas também são determinadas. Com isso, aprendemos que a forma de cooperação agrícola não é determinada pelo MST, pela Concrab. Não adianta fazer uma reunião no assentamento e dizer: "Vocês vão implantar uma cooperativa". Vai ser um fracasso. Eles é que têm que discutir que tipo de forma pode ser assimilada. A partir da forma inicial, pode haver um processo de evolução ou um processo de desarticulação. Se se desarticular, significa que aquela forma de cooperação não estava à altura das condições subjetivas. Um exemplo negativo: em função do laboratório de campo, constituímos a Cooperativa de Produção Agropecuária de Nova Ramada (RS), com tudo coletivizado. Passados dois ou três anos, foi uma guerra. De um único grupo de 76 famílias, surgiram dois ou três outros. Mesmo assim um deles ainda trabalha em forma de cooperativa.

Esse episódio demonstrou que a forma de cooperativa ainda não estava de acordo com as condições objetivas e subjetivas daquelas famílias, o que não significa que a cooperação agrícola seja inviável.

Novamente abrirei um parêntese, agora para fazer uma crítica ao professor Zander Navarro[7]. Ele fez um estudo de caso sobre a cooperativa de Nova Ramada para bater em toda a nossa experiência de cooperação agrícola. Ora, se é um estudo de caso, não dá para generalizar. Especificamente sobre a situação da Ramada, é aquilo mesmo que ele escreveu. Se criamos uma forma de cooperação que não era adequada às condições objetivas e subjetivas daquele lugar, não significa que a forma está errada. Fecha o parêntese.

Vamos agora para o segundo período, que foi de 1990 a 1993. De maneira geral, foi um período de crise do movimento. A partir de sua vitória eleitoral, Collor acabou com as políticas públicas para a agricultura, com o crédito, com a Emater, que poderia dar assistência técnica, e com a Empresa Brasileira de Pesquisas Agropecuárias (Embrapa)[8]. No início de seu governo houve um desmantelamento geral. O Banco do Brasil quase foi à falência. Isso gerou uma crise ainda maior na agricultura, que já vinha numa crise de lascar. É lógico que essa crise afetou também os assentamentos e o próprio movimento como tal.

Isso nos obrigou a fazer uma reflexão ainda mais aprofundada sobre as formas de cooperação. Percebíamos que o desenvolvimento já conquistado pelo MST era insuficiente para fazer frente à ofensiva do governo Collor. Passamos dois anos – 1990 e 1991 – discutindo isso. Analisamos uma primeira ideia, a de criarmos uma central cooperativa de crédito rural, porque havia legislação para isso e também porque sabíamos que poderia permitir uma resistência maior. Diante daquela falta de política agrícola ou da crise generalizada da agricultura,

7. Sociólogo rural, doutor e professor da Universidade Federal do Rio Grande do Sul. Tem diversos ensaios sobre o MST e é considerado um dos mais importantes estudiosos da questão agrária no Sul. É consultor do Banco Mundial.

8. Criada na década 1970 pelo governo federal para centralizar e coordenar os programas de pesquisa agropecuária existentes no país. Essa coordenação é feita pelos Centros de Pesquisas, com prioridades por produtos. Articula ainda pesquisas realizadas por centros de governos estaduais.

era necessário garantir para os assentados recursos de crédito de forma permanente. Até porque o Procera fora reduzido ao mínimo. Partimos dessa concepção de que era necessário criar um sistema para fazer frente à ofensiva de Collor. Se o governo fechava as torneiras, deveríamos criar outros mecanismos de acesso ao crédito para poder viabilizar a produção e aquelas formas de cooperação agrícola que já tínhamos.

O problema era o desenvolvimento como um todo da agricultura. Resolvemos estudar o problema e contratamos alguns técnicos para apresentar propostas em relação a uma grande central de cooperativa de crédito. Nesses dois anos de discussão, ouvindo consultores e participando de seminários com lideranças mais experientes dos assentamentos, chegamos à conclusão de que não era viável a constituição de uma central de cooperativa de crédito. Havia restrições legais. Tínhamos de realizar operações municipalizadas, o que pulverizaria a força do MST, para depois construir a central. Isso levaria de 10 a 15 anos. Além disso, não teríamos capacidade para construir dezenas de pequenas cooperativas de crédito, que no fundo só representariam gastos administrativos e burocráticos. E não significariam uma injeção de crédito imediato. A ideia era que, se tivéssemos uma central, somada à força do movimento, conseguiríamos captar recursos do governo, do exterior, do Banco Mundial, de quem quer que fosse. Se a forma organizativa fosse pulverizada em pequenas cooperativas de crédito municipalizadas, seria nula a força dessas cooperativas para conseguir dinheiro. Ninguém iria dar bola. Nesse processo, concluímos que deveríamos optar por uma outra forma de organização, que seria a de centrais de cooperativas gerais. Não vamos nos preocupar com o crédito. Vamos fazer cooperativa geral, em que possamos aglutinar as cooperativas de comercialização, as diversas formas de cooperação agrícola, as associações. Não haveria problema algum para associar à central as cooperativas de pequenos agricultores. E das centrais formar a Confederação Nacional, a Concrab. Esta seria uma forma superior de articulação desses esforços de organizar a produção. Foi aí que, em maio de 1992, já como resultado desse processo, conseguimos formar quatro cooperativas centrais estaduais: Rio Grande do Sul, Santa Catarina, Paraná e Espírito Santo. Uma vez preenchido esse requisito, fundamos legalmente a Concrab em maio daquele ano, em Curitiba (PR). Mediante um trabalho organizativo, que chamamos de Sistema Cooperativista dos Assentados (SCA), passamos a difundir este trabalho para os demais estados. Legalmente, na Concrab, participariam apenas os sócios de associações ou de cooperativas. Continuamos discutindo e articulando todos os assentados, mesmo os individuais. Não poderíamos deixar de fora os individuais, que são a maior parte da nossa base social. O SCA, embora tenha o nome cooperativista, é muito mais uma indicação ideológica. Tem como meta articular todos os assentados e continuar debatendo qual é o futuro do desenvolvimento rural, da produção dos assentamentos; enfim, promover o debate econômico que está relacionado com todos os assentamentos.

Sobre o governo Collor, uma última coisa. Foi o nosso batismo de fogo, porque poderíamos ter acabado ali. Se o governo dele durasse os cinco anos previstos e nos apertasse mais um pouquinho, poderia ter nos destruído. Não os assentamentos em si, porque estes já estão consolidados, mas como movimento social.

BERNARDO: *Qual foi a fase seguinte?*
JOÃO PEDRO: A partir do III Congresso Nacional, em 1995, desenvolvemos uma etapa de consolidação do SCA, para recuperar a força perante o Estado. O número de famílias assentadas havia aumentado e, portanto, também aumentaram as necessidades, inclusive a de um

maior volume de recursos financeiros para a organização dos assentamentos e da produção. Também já tínhamos passado os tempos difíceis do governo Collor. O presidente Itamar Franco, em função das circunstâncias que o levaram a ocupar o cargo, se viu obrigado a nos receber em audiência. Foi um reconhecimento político muito importante para a nossa luta. A partir disso, se abriram portas no governo, até então inacessíveis para o MST. Assinamos vários convênios que permitiram estruturar melhor os assentamentos.

Foi uma etapa de maior amadurecimento da Concrab. Não só no aspecto orgânico, englobando mais Estados, como Ceará, Pernambuco, Bahia, Sergipe, Mato Grosso do Sul e São Paulo, mas, sobretudo, também internamente. Foi um período de descobrir, de estudar, de compreender quais seriam as linhas de produção a desenvolver, como aproveitar as brechas de mercado para não cair no mercado capitalista tradicional, de compreender que fundamentalmente temos uma missão social. Teríamos de pensar uma produção para o mercado de massas. Não adianta ficar pensando em produzir geleia de cereja para vender em mercados da classe média. Isso poderia até dar dinheiro, mas apenas para dez famílias que produzem cereja. Não é o objetivo principal. Queremos, primeiramente, produzir para a população. É o retorno ao apoio que ela dá à luta pela reforma agrária.

Também foi um período de consolidação das agroindústrias. Ficaram claras as ideias sobre o tipo de agroindústria que queremos. Já sabemos que não é viável ficar pulverizando grandes experiências, criar elefantes brancos, como costumamos dizer. Foi um período igualmente de formação de quadros, de consolidação dos Cursos Técnicos de Administração Cooperativista (TACs)[9] e da própria formação dos quadros internos da Concrab. Realizamos muitos cursos nesse período para formar o pessoal tecnicamente e, ao mesmo tempo, de

9. Cursos em nível de 2º grau, são os únicos na modalidade em todo o país. São ministrados pelo Instituto Técnico de Ensino e Pesquisa em Reforma Agrária (Iterra). Os alunos são assentados ou filhos de assentados de todo o Brasil. O estudo é realizado na forma de alternância, em que os alunos permanecem três meses em sala de aula, em regime de internato, e depois retornam por três meses para seus assentamentos de origem.

acordo com o objetivo da formação política. Finalmente, no IX Encontro Nacional realizado em 1998, em Vitória, demos outro salto com os nossos assentamentos. Estudamos e debatemos com nossa militância um texto, *A vez dos valores*[10], para que nossa base compreendesse melhor os objetivos da nossa luta. Não estamos somente preocupados com a conquista de um pedaço de terra, mas com a formação integral de toda nossa base social. Queremos ser libertos e construir comunidades bonitas, com outras relações sociais, baseadas na amizade, na solidariedade. Enfim, comunidades desenvolvidas, no sentido pleno da palavra.

BERNARDO: *Você falou que a agroindústria seria a forma mais complexa de cooperação agrícola. Isso significa uma divisão do trabalho no processo da produção agrícola?*
JOÃO PEDRO: Sim, claro.

BERNARDO: *Por exemplo, cada família pode ficar responsável por uma parte da produção de determinada quantidade. É isso?*
JOÃO PEDRO: Não. Cada trabalhador faz uma parte do trabalho e vai se especializando.

BERNARDO: *Clodomir de Moraes prega a divisão do trabalho na sua forma mais radical. Se pensarmos isso para a agricultura camponesa, por exemplo: o pessoal vai trabalhar na produção de leite. A família fará tudo e entregará o leite para a cooperativa, que, por sua vez, vai industrializá-lo. Esse exemplo é uma forma mista, não de divisão do trabalho como ele pensava.*
JOÃO PEDRO: Sim, mas aí é só questão de interpretação. Por exemplo, se o laticínio é da mesma família, quem irá receber os carros de leite? Ou é a família, ou é o filho do cara que está tirando o leite. O que ocorre, neste caso, é

10. *A vez dos valores*, Cartilha de Formação número 26 editada pelo Setor de Formação do MST. Reúne a reflexão sobre a necessidade da implementação dos valores da solidariedade e da justiça social.

que se estabelece uma divisão do trabalho real no assentamento ou na própria família. Uma das famílias, em vez de tirar leite, irá cuidar do resfriamento. Vai ter um outro que será o motorista do caminhão para recolher o leite. O cara é assentado, mas a sua tarefa agora é dirigir o caminhão. No caso da Coanol (RS)[11], o filho de um assentado virou veterinário. Isso faz parte da divisão do trabalho.

A divisão do trabalho é uma questão objetiva, não é resultante de uma discussão nem depende da boa ou da má vontade das pessoas. O trabalho, para o seu êxito, exige a especialização das pessoas. Para que isso ocorra cada vez melhor e com rapidez cada vez maior, é preciso dividir tarefas. É claro que há uma variação do grau de complexidade dessa divisão do trabalho. Isso depende do estágio em que se encontra essa organização do trabalho.

A chave, na divisão do trabalho, é que o resultado desse esforço comum também é dividido. Aquele valor a mais que o laticínio agrega para o assentamento não fica só para os caras que trabalham lá na usina de leite. É dividido com todo mundo. É por isso que a agroindústria ajuda.

BERNARDO: *Essa relação complexa decorre do fato de que pode haver famílias trabalhando só na parte agrícola e outras só na parte industrial, mas o valor agregado é dividido por todos. A divisão do valor agregado faz com que seja superada a dicotomia indústria versus agricultura?*
JOÃO PEDRO: Exatamente. É por isso que a agroindústria nos interessa e tem que fazer parte do assentamento. Se for separada, irá repetir o sistema capitalista e não representará nenhum avanço. Exemplificando, o assentado é a mesma pessoa que vira motorista de caminhão da cooperativa. Teoricamente, ele não tem mais nada a ver com a agricultura. Porém, aquela renda a mais que o caminhão vai trazer para o assentamento é repartida com ele e com todos os outros.

11. Cooperativa Agropecuária Nova Sarandi Ltda. (Coanol), formada pelos assentados da Fazenda Annoni, no município de Sarandi. Possui mais de mil associados e se transformou numa importante empresa para os agricultores e para todo o município.

BERNARDO: *Por que você se referiu anteriormente à Coanol?*
JOÃO PEDRO: Antes de se transformar em cooperativa, a Coanol era uma associação em Sarandi (RS), em que aconteciam roubos à noite. Roubavam uma vaca de leite, um arado ou outras coisas, o que trazia grandes prejuízos para todos. Discutiram, e a saída que encontraram foi a de que um deles parasse de ir à roça de dia para se transformar em vigia à noite. Botava a espingarda nas costas e ficava rondando as instalações, os galpões, as benfeitorias comunitárias.

BERNARDO: *Nesse caso havia uma pessoa disponível para fazer esse tipo de trabalho. Supondo que não houvesse ninguém para fazê-lo, a associação poderia contratar alguém?*
JOÃO PEDRO: Poderia.

BERNARDO: *Temos aí um paradigma que na academia é chamado de "chayanovista"*[12]*. Muitas pessoas interpretam esse paradigma como a organização camponesa na sua forma mais pura. Outro paradigma seria o da agricultura capitalista. O que o MST está fazendo em relação a essas duas correntes teóricas?*
JOÃO PEDRO: Estamos criando um sistema misto. Não no sentido de que é misturado, mas superior aos dois. O nosso objetivo, que está no programa agrário, é uma etapa superior aos modos camponês típico e capitalista. O que assimilamos do capitalismo é a divisão do trabalho, não com objetivos capitalistas. O capitalismo se utiliza da divisão do trabalho para explorar as pessoas. A divisão do trabalho foi nascendo com o processo natural de desenvolvimento das forças produtivas.

BERNARDO: *E da cooperação dessas forças.*
JOÃO PEDRO: Exato. A divisão do trabalho é usada para explorar os outros ou para melhorar as condições de

12. Interpretação derivada dos trabalhos de Alexander Chayanov, estudioso russo que, em princípios do século 20, fez um estudo clássico sobre a organização da produção e a lógica interna da unidade produtiva camponesa. Por essa razão é considerado um "campesinista" clássico, defensor da autonomia do modo de produção camponês, que possuiria características próprias, diferentes da lógica de acumulação capitalista. No Brasil, suas teses são pouco conhecidas.

vida de todo mundo? Muita gente foi contra a divisão do trabalho porque simplesmente a confundiu com o capitalismo. Vemos a divisão do trabalho ligada ao desenvolvimento técnico das forças produtivas que existem na sociedade. Esse é um aspecto. O outro é que há alguns casos de assalariamento em algumas cooperativas. Isso não é uma norma nem é uma prática geral. Existem porque se trata de produções mais técnicas em que ainda não há entre os assentados ou filhos destes alguém com essa especialidade. Não é, portanto, uma relação social predominante.

BERNARDO: *Que pode corresponder a 5% das famílias ou menos que isso, não é?*
JOÃO PEDRO: É um número insignificante. Considero nossa proposta de divisão do trabalho superior porque, do ponto de vista econômico, a renda da produção é dividida entre todos. Isso nem o capitalismo nem o camponês fazem. Aí está a garantia de que todos vão se beneficiar com o avanço técnico que houver naquela unidade produtiva. Já do ponto de vista social, ainda não conseguimos captar todas as dimensões que a luta pela reforma agrária está promovendo. É cedo ainda. Acho que vamos criar uma outra interpretação social do trabalho no campo. Na minha avaliação, será o ressurgimento do verdadeiro trabalhador rural. No Brasil, a sociologia transformou agricultor e lavrador em sinônimo de trabalhador rural. Na ótica geográfica, são diferentes. Não necessariamente trabalhador rural significa ser camponês ou agricultor. A expressão trabalhador rural não tem nenhuma relação social de exploração ou de condição de produção. Esta expressão indica a pessoa que vive do seu trabalho e o exerce no meio rural. Estamos construindo, agora, o conceito de trabalhador rural do ponto de vista sociológico, que é o seguinte: se todas as pessoas, independentemente da sua profissão – veterinário, agrônomo, economista, motorista

da cooperativa, pequeno agricultor –, trabalham no meio rural, e se o resultado do trabalho de cada um será distribuído entre todos, todos são trabalhadores rurais. Vamos conseguir superar essa estreiteza de que o trabalhador rural é apenas o agricultor, aquele que lavra a terra.

BERNARDO: *Ou o boia-fria*[13].
JOÃO PEDRO: Exato.

BERNARDO: *Vamos analisar um caso em tese. Há um assentamento que produz determinada cultura. A indústria que beneficia essa cultura está na cidade. As famílias desse assentamento mandam esse produto para a cidade para ser beneficiado. Também é trabalhador rural quem trabalha nessa indústria?*
JOÃO PEDRO: Depende se for ou não da cooperativa.

BERNARDO: *Se for da cooperativa?*
JOÃO PEDRO: Se é da cooperativa, também é trabalhador rural.

BERNARDO: *Não importa que esteja trabalhando na cidade?*
JOÃO PEDRO: Não, porque toda a produção vem do campo e, depois de beneficiada, o seu resultado volta para aquela mesma comunidade rural.

BERNARDO: *As pessoas são trabalhadores rurais não necessariamente porque estão trabalhando no campo, mas porque trabalham com a produção rural. É essa a lógica?*
JOÃO PEDRO: Sim, e trabalham em benefício dessa comunidade rural.

BERNARDO: *Dessa forma, o MST entra num enorme debate acadêmico. Para muitos acadêmicos, o rural morreu, acabou.*

13. Boia-fria, terminologia adotada na sociologia brasileira para designar os trabalhadores rurais que vivem como assalariados temporários. Essa designação teve origem entre os assalariados cortadores de cana. Como costumam levar sua refeição em marmitas para as lavouras e lá são obrigados a ingeri-las frias, ficaram conhecidos como os trabalhadores boias-frias. O primeiro estudo clássico sobre sua condição foi realizado pela socióloga Maria Conceição D'Incao e editado pela Vozes.

João Pedro: Porque confundem com aquilo que existia antes, com o lavrador, aquele cara que puxa a enxada. Podemos chegar à conclusão de que a enxada desaparecerá dentro de alguns anos, mas o trabalhador rural não vai desaparecer. Ao contrário, o que estou imaginando, porque não existe nenhuma teorização a respeito nem no MST, é que estamos multiplicando os trabalhadores rurais. Daqui para frente, podemos considerar trabalhador rural quem viver em função dessa comunidade rural, independentemente da sua profissão.

Bernardo: *Que outras contribuições a divisão do trabalho trouxe?*
João Pedro: A contribuição que estamos dando agora é sobre a nova visão de organização do trabalho e sobre a incorporação da divisão do trabalho sob outra ótica. Estamos fugindo justamente daquela falsa dicotomia em que os "campesinistas" dizem: "Não, o camponês tem de fazer tudo, não pode dividir o trabalho", ou em que os superavançados dizem: "Não, tu tens que te integrar ao mercado capitalista, portanto teu filho, quando crescer, tem que ser empregado mesmo". Estamos provando que é possível implantar a divisão do trabalho como uma forma de desenvolvimento das forças produtivas, em que essa divisão esteja a serviço do bem-estar de todos. Isso é importante em termos de avanço de conhecimento e de transferência desse acúmulo, de superação.

OCUPAÇÃO

BERNARDO: *Em seu último livro,* A reforma agrária brasileira na virada do milênio, *José Gomes da Silva diferencia a ocupação da invasão. A ocupação é o que deu vida à luta pela terra. Sem ocupação, o MST não nasceria e, sem ela, morre. É isso?*

JOÃO PEDRO: É isso. Teria muitos aspectos para abordar sobre a ocupação. Primeiro, é uma forma de luta contundente, não deixa ninguém ficar em cima do muro, obriga todos os setores da sociedade a dizerem se são a favor ou contra. Não há, enfim, oportunidade para escamotear o problema social. Luís Fernando Verissimo[1] certa vez escreveu um artigo em que diz que o maior crime que a direita tem para acusar os sem-terra é que eles são sem-terra. É um perigo neste país um cara ser pobre e organizado. Os pobres existem por aí dispersos e ninguém se queixa deles. Se se organizam e fazem uma ocupação, ela é tão evidente e tão contundente que obriga a sociedade a se manifestar.

BERNARDO: *Você pode ser pobre, se manter como pobre, mas, no momento em que você reage por ser pobre, vem uma contrarreação.*

JOÃO PEDRO: Ou como diz o professor Plinio de Arruda Sampaio[2]: "A elite pode até aceitar que os pobres peçam favores ou mendicâncias, mas jamais aceitará que eles se organizem para exigir seus direitos". E a ocupação é uma forma aglutinadora, não é um grito isolado. Se tu deres o

1. Escritor gaúcho, autor de livros de grande sucesso. Escreve há anos uma crônica diária – atualmente em *O Globo* e antes no *Jornal do Brasil* – sobre assuntos políticos, culturais e outros.

2. Promotor público aposentado, consultor da FAO/ONU, deputado constituinte em 1988 (PT-SP). Foi colaborador do programa de reforma agrária do governo de Salvador Allende no Chile.

grito isolado e fores ocupar um supermercado, aí justificam o crime: "Tá vendo, além de pobre, é ladrão".

BERNARDO: *Além de estar passando fome, quer comer.*
JOÃO PEDRO: Certa vez, José Gomes da Silva deu uma resposta brilhante sobre ocupação durante o programa "Opinião Nacional", da TV Cultura de São Paulo. Embora sem ser mal-intencionado, um jornalista perguntou: "Você, que justifica tanto as ocupações, como reagiria se os operários desempregados ocupassem a Volkswagen? Não é uma afronta? Não é a mesma coisa que ocupar terra?". Aí ele respondeu: "A diferença está justamente aí. Tudo o que a Volks tem na sua fábrica foi feito pelo homem. Ela pode invocar o direito porque pagou pelo trabalho ou porque foi ela quem construiu o prédio e as máquinas. Com a terra ninguém pode dizer que a fez. É um bem da natureza e que tem que estar a serviço de toda a sociedade". Ele matou a charada.

Outro aspecto da ocupação, este do ponto de vista da nossa organização, é que ela é fundamental, é a essência do movimento. O que o MST faz é aglutinar pessoas. Imagine fazer um acampamento abrindo inscrição. Seria uma loucura, pois isso não tem nada de unidade. É por isso que não dá certo quando algum sindicato faz inscrições por meio de cadastro, porque não tem nada que una as pessoas.

BERNARDO: *Se pensarmos num programa de reforma agrária a ser implantado em dois anos, não terá que ser feito por meio de cadastro?*
JOÃO PEDRO: Não dará nem tempo para fazer o cadastro.

BERNARDO: *Como assim?*
JOÃO PEDRO: Quando as pessoas se derem conta de que a correlação de forças é favorável, tomarão a iniciativa, não esperarão o cadastro. Nenhuma reforma agrária do

mundo foi feita com cadastro. Nem as capitalistas nem as socialistas.

BERNARDO: *Foram feitas com a ocupação da terra?*
JOÃO PEDRO: Foram feitas com o ato prático das pessoas, do tipo: "Eu quero, preciso e vou". E o Estado tratou de organizar, de legalizar. Antes de isso acontecer, sempre ocorreram iniciativas que aglutinavam as pessoas. Quando o general e interventor norte-americano Douglas McArthur[3] baixou uma lei no Japão, disse: "De hoje em diante, quem tem mais de 2,4 hectares terá que dividir com quem não tem terra". Imediatamente, os camponeses japoneses foram assegurando o seu lugar, sabendo que depois viria um soldado norte-americano com a lei para fazer a legalização do processo. A ocupação dá esse sentido de unidade às pessoas, para lutarem por um mesmo objetivo. Passar pelo calvário de um acampamento cria um sentimento de comunidade, de aliança. Por isso é que não dá certo ocupação só com homem.

BERNARDO: *Tem de ter a família.*
JOÃO PEDRO: Tem de ter a família, porque já está em processo o que vai ser a comunidade. Outro aspecto é que ela desmascara a lei. Se não ocupamos, não provamos que a lei está do nosso lado. É por essa razão que só houve desapropriações quando houve ocupação. É só comparar. Onde não tem o MST, não tem desapropriação. Onde o movimento é mais fraco, menor é o número de desapropriações, de famílias beneficiadas. A lei só é aplicada quando existe iniciativa social, essa é a norma do direito. Nossos alunos aprendem isso no primeiro dia de aula. A lei vem depois do fato social, nunca antes. O fato social na reforma agrária é a ocupação, as pessoas quererem terra, para depois se aplicar a lei. Nesse sentido, o sociólogo Fernando Henrique tem consciência. Ele afirmou: "Eu não condeno o movimento de vocês. É justo. Se não fizer pressão, não sai".

3. Comandante-geral das Forças Armadas dos Estados Unidos na região do Pacífico, no Sudeste Asiático, durante a Segunda Guerra Mundial. Sob seu comando, o Japão foi ocupado. Assinada a rendição incondicional japonesa, o general promulgou uma nova Constituição, nomeou novas autoridades e implementou a lei de reforma agrária no país. Posteriormente, participou do apoio norte-americano às tropas do general Chiang Kai-shek, na China. Com o isolamento deste último na ilha-província de Formosa, garantiu a formação da província-Estado de Taiwan, onde também impôs uma reforma agrária.

BERNARDO: *E, do ponto de vista jurídico, como estão sendo tratadas as ocupações? Porque continuam os despejos etc.*

JOÃO PEDRO: Do ponto de vista jurídico, nós tivemos nos últimos anos duas vitórias muito importantes. Primeiro, foi aprovado um projeto de lei de iniciativa dos deputados do núcleo agrário do PT que obriga em qualquer processo de despejo seguir um ritual, com a presença do Ministério Público, com o juiz ouvindo as partes antes de tomar qualquer decisão. Infelizmente os juízes comprometidos com o latifúndio, que continuam a dar liminar para despejos, não constituem processos, não ouvem o Ministério Público e autorizam de forma ilegal muitos despejos. Tinha um juiz em Mato Grosso do Sul que chegava a ter formulário de determinação de despejo e pedido de força pública assinado em branco, que os advogados dos fazendeiros preenchiam sempre que necessário.

Mas a segunda vitória foi mais importante, quando, em torno do processo de prisão da companheira Diolinda e do Zé Rainha[4], o mesmo chegou até o Superior Tribunal de Justiça, e lá o tribunal produziu um acórdão, de autoria do relator ministro Cernichiaro, que afirma que as ocupações de terra feitas de forma massiva, com objetivo de pressionar pela reforma agrária, por um movimento social, não significam esbulho possessório, portanto não se constituem em crimes, e esses fatos não podem ser julgados à luz do Código Penal (como costumavam fazer os juízes), mas sob a luz da Constituição, que determina que o governo tem a obrigação de desapropriar todas as grandes propriedades improdutivas. Esse acórdão da maior corte judicial do país criou então uma jurisprudência muito importante, para que, do ponto de vista jurídico, as ocupações massivas sejam finalmente tratadas como problemas sociais, e não apenas como querem os latifundiários, pelo Código Penal, como se se tratasse de esbulho de patrimônio em proveito privado.

4. Liderança do MST no Pontal do Paranapanema (SP). Destacou-se junto com outros militantes no processo de desentranhamento da maior grilagem de terras do Estado de São Paulo. Desde o início da atuação do MST no Pontal, os sem-terra conquistaram 55 assentamentos na região.

Por outro lado, todos nós continuamos a saber que a vitória e o sucesso de uma ocupação continuam a depender da correlação de forças políticas locais e nacionais. Se de nosso lado conseguirmos fazer uma grande ocupação, com milhares de pessoas, isso se constitui numa força suficiente e importante. Se o latifundiário for influente, for político, tiver muita força, aumentam as dificuldades.

Mas as ocupações de terra continuam a ser a principal forma de pressão de massas que os camponeses têm para, de forma prática, fazer a reforma agrária avançar e acesso direto à terra para trabalhar. Trabalho, escola para seus filhos e a oportunidade de produzir.

BERNARDO: *Quantas ocupações já foram feitas?*
JOÃO PEDRO: Ninguém sabe ao certo. Já perdemos a conta certa, até mesmo porque existem muitas situações de diversas reocupações pelas famílias de uma mesma área. No Pontal, a Fazenda São Bento teve que ser reocupada 23 vezes, até que o governo a liberou para assentamento. Mas acredito que no total já ultrapassam 1.500 ocupações em todo o país, ao longo desses 15 anos de atividade.

BERNARDO: *E qual foi a maior?*
JOÃO PEDRO: É também muito difícil dizer. Em geral, em cada ano existem uma ou duas áreas que representam um impacto maior na sociedade local. Pessoalmente, considero ocupações históricas algumas delas, como a da Fazenda Anoni, no Rio Grande do Sul, em 1986, depois a Fazenda Giacometi, em 1996, que era o maior latifúndio do Paraná, com 86 mil hectares. Mas em cada Estado houve alguma ocupação que teve um papel histórico proeminente. Como o caso da Fazenda Macaxeira, em Eldorado dos Carajás (PA), com o massacre na estrada depois.

BERNARDO: *E continua a haver repressão e despejos em relação às ocupações?*
JOÃO PEDRO: Como disse antes, agora a lei pode nos fazer mais do que no passado. Mas continua a haver muita violência nos despejos em alguns Estados. Tudo depende da correlação de forças que existe no local e do número de famílias que ocuparam.

No entanto, acho que a principal mudança é que os trabalhadores sem-terra já assimilaram e compreenderam que a ocupação é a forma mais eficaz; tanto é que, cada vez mais, aumenta o número a cada ano. E por outro lado a sociedade também compreendeu que, diante da ineficácia das leis, da intolerância do governo, da truculência dos latifundiários, os sem-terra não têm outro caminho a não ser pressionar com suas próprias forças para que se aplique a lei de reforma agrária. Nisso se aplica o ensinamento de um jurista amigo nosso: "Só a luta faz a Lei".

BERNARDO: *De 1995 para cá, têm surgido novos movimentos sociais. Muitos são isolados, como os do Pontal do Paranapanema. Como não têm uma instituição por trás, a tendência é que logo acabem. Outros, no entanto, são ligados à Contag ou às federações estaduais. Como você vê o surgimento desses movimentos?*
JOÃO PEDRO: Não temos ainda sistematizados os diversos fatores que levaram ao surgimento de vários movimentos sociais. Estamos ainda tratando de hipóteses. Desde o início do MST ocorreram lutas localizadas pela terra. Umas com mais famílias, outras com menos. Interpretávamos como legítimos os movimentos que ajudavam a resolver os problemas imediatos dessas populações. A explicação teórica é que a luta pela terra tem ainda um grande componente corporativista. Portanto, era normal que se multiplicassem iniciativas corporativistas, o que não nos deixava preocupados, mas sim sensibilizados.

Era uma pena que a maioria desses movimentos mantivessem um caráter corporativo, que não leva a nada. A burguesia assimila facilmente, porque o próprio capitalismo reconcentra a propriedade da terra. A luta pela terra se transforma em luta pela reforma agrária e, em consequência, num projeto político dos trabalhadores se estes, na sua luta, adquirirem consciência social para mudar a sociedade. E para mudar a sociedade tem que mudar o Estado. Essa consciência não é um simples doutrinarismo. É perceber que os problemas concretos que as pessoas sofrem, como o analfabetismo, a doença de um filho, a dor de barriga de uma criancinha, não ocorrem apenas porque elas não têm terra. Podem até ter terra, mas continuarão analfabetos, a criança irá morrer com três meses, e assim por diante. Existe um sistema social que cria os pobres e que os impede de ter uma vida digna. Isso é que cria a consciência social. Se gerarmos um movimento corporativo que não propicia consciência política e social, ele será efêmero. Em alguns casos, como no Norte, acaba se transformando em propaganda da direita contra a gente. Como a terra não resolvia todos os problemas, a pessoa vendia a terra. A direita usou isso muito bem como propaganda em todos os lugares. O que é pior, iludindo a população pobre: "Tu estás vendo como não adianta dar terra para o pobre, depois ele vende". Aí o pobre dizia: "É verdade, não adianta, eles não merecem, têm que ser como eu, sempre pobre". Era uma propaganda muito dura. Mais recentemente, de 1995 para cá, estão proliferando movimentos com base no oportunismo – no caso, oportunismo de direita e de esquerda. O oportunismo de direita ocorre nesses movimentos localizados que estão acontecendo mais em São Paulo, onde o liderzinho resolve tirar proveito de seu rebanho. O cara só quer benefícios próprios ao se autodenominar líder de 50 famílias. O mesmo vale para o vereador ou prefeito que sonha em ter um curral eleitoral.

BERNARDO: *A maior parte da população é extremamente miserável e com alto percentual de analfabetos. Desse modo, pensar o desenvolvimento social do MST é como pensar num processo de longo prazo, que vai ter sucessos e fracassos. O maior desafio do MST é ressocializar essa população, no sentido de pensar o desenvolvimento social, econômico, a escolaridade, a produção, a industrialização?*
JOÃO PEDRO: O maior desafio é massificar a solução para isso, porque são milhões de pessoas envolvidas. O que o movimento faz é organizar alguns milhares. Hoje somos 4 milhões de famílias de sem-terra no Brasil. Não é que a solução seja lenta. Acreditamos que, se massificamos a luta, a solução se torna mais rápida, porque obriga o Estado também a ser mais rápido.

BERNARDO: *A palavra massificação significa organização, resistência e superação desses problemas?*
JOÃO PEDRO: É uma palavra que pode ter várias interpretações. Mas, no nosso caso, massificar significa incorporar enormes contingentes populacionais, envolver milhões. É libertá-los, quer dizer, construir a dignidade para todos.

BERNARDO: *O sentido da massificação contém o sentido da libertação?*
JOÃO PEDRO: É isso que nos diferencia de uma ação assistencialista, mesmo quando adotamos como prática pedagógica desenvolver algumas experiências-modelo, seja uma escola ou um assentamento. Isso não apenas para a experiência que deu certo, para ficarmos falando: "Olha aquele dinheirinho como deu certo", como fazem algumas entidades assistencialistas. Salvam a vida de 50 crianças de rua e só. Mesmo quando aplicamos essa prática pedagógica de ter alguns polos, alguns centros de experimentação, já os concebemos na perspectiva de poder massificá-los. A solução para esse grande proble-

ma social só vai ser alcançada se conseguirmos atingir a todos. O professor José Gomes da Silva costumava dizer que uma reforma agrária só pode ser considerada realmente como reforma agrária se for "um processo massivo, amplo, radical de redistribuição dos direitos de propriedade da terra agrícola". Como conseguir isso sem massificar a luta?

BERNARDO: *E assim se poderá realizar a reforma agrária.*
JOÃO PEDRO: Sim. Fazer com que milhões tenham acesso à terra, à escola, construam suas casinhas, num curto espaço de tempo.

BERNARDO: *Nesse processo, o MST promove a reforma agrária, mas o Estado é a instituição competente para realizá-la. Como você vê isso?*
JOÃO PEDRO: A imprensa mente ao dizer que pretendemos substituir o Estado. Ao contrário: as instituições públicas da sociedade têm que fazer a reforma agrária, e nisso o Estado é o agente principal.

Solidariedade e desenvolvimento

Bernardo: *Voltando um pouco na nossa conversa, você falou que o MST está preocupado com a formação de sua base social. Como é isso?*
João Pedro: Queremos que o assentamento seja um cartão de visita para a sociedade. Queremos que, nessas áreas, tanto as pessoas que moram lá como os visitantes se sintam bem, felizes e orgulhosos do resultado da luta pela terra. Temos que transformar os assentamentos em lugares aprazíveis. Estamos incentivando o reflorestamento nas áreas desmatadas pelo latifúndio, plantando flores e arborizando pátios e praças, cuidando das estradas e das entradas dos assentamentos, promovendo festas e atividades culturais.

O segundo desafio, assim podemos dizer, é o exercício intensivo da solidariedade com a sociedade. Essa solidariedade deve ocorrer em coisas práticas, como por exemplo estabelecer um banco de doadores de sangue para os hospitais públicos das cidades próximas aos assentamentos. Devemos ser os primeiros voluntários a prestar ajuda em casos de catástrofes naturais, como enchentes, temporais, secas etc. Os assentamentos devem fazer brigadas de solidariedade para atender esses casos.

Na produção, temos uma outra linha de solidariedade, desenvolvendo lavouras comunitárias ou de outro tipo, para doar para creches, hospitais, asilos. Atuando assim, se não resolvemos o problema econômico, pelo menos vamos amenizá-lo e, sobretudo, dar uma demonstração de integração social com essas instituições. Queremos dizer: "Como o assentamento é fruto da solidariedade da cidade, estamos retribuindo esta solidariedade". Talvez não resolva nada na economia do hospital, mas, se uma vez por mês chegar uma caminhonete com verduras, certamente haverá um agradecimento. A gente vê todos os dias nos jornais que as escolas públicas não têm dinheiro para a merenda. Se conseguirmos melhorar a qualidade das refeições oferecidas aos alunos, será um sinal significativo de que a reforma agrária vale a pena. Queremos desenvolver a solidariedade não por mera propaganda ou vaidade. Queremos desenvolvê-la como um valor permanente junto à nossa base social.

Uma outra linha, esta mais ligada ao nosso projeto, é recuperar os valores nacionais, como a bandeira, o hino, as músicas e a cultura do Brasil. Queremos recuperar o orgulho de ser povo brasileiro. Temos de ser a referência, dizendo para a sociedade: "Olha, é bom ser brasileiro, somos um povo privilegiado. Não precisamos ficar imitando o europeu ou o norte-americano".

BERNARDO: *Não seria a recuperação de um espírito nacionalista, mas a criação de uma cultura própria?*
JOÃO PEDRO: Uma cultura de autoestima. Um povo que não tem autoestima vai criar que nação? Como vai se desenvolver se tem vergonha de ser um povo?

BERNARDO: *Há outras iniciativas do MST para melhorar a qualidade de vida de quem trabalha no campo ou da própria sociedade?*
JOÃO PEDRO: Uma outra frente, recém-ensaiada e que não depende só de nós, é justamente começar a tratar o processo de desenvolvimento do meio rural como uma alternativa à cidade, como uma alternativa ao desenvolvimento geral da sociedade. Vamos novamente contra

o que estão dizendo as forças imperialistas. Os países desenvolvidos pregam que o meio rural já deu o que tinha que dar. Temos que provar que, para resolver o problema dos pobres na América Latina e no Terceiro Mundo, só se levarmos o desenvolvimento para o meio rural. Vamos ter que construir esse desenvolvimento que sonhamos em nossos espaços, para provar que é viável. O desenvolvimento rural, como é mais amplo, não basta apenas fazê-lo num único assentamento; tem de afetar uma região inteira, tem de ser regional. Isso é mais demorado, envolve toda a sociedade. É um grande desafio à frente.

BERNARDO: *Há alguma região em que esta experiência de desenvolvimento rural está mais avançada?*
JOÃO PEDRO: Não acumulamos conhecimento suficiente para dizer "é assim". Estamos ainda em gestação, porque esse processo envolve o desenvolvimento de toda uma região, não só de um assentamento. Poderíamos imaginar várias regiões, como a de Cantagalo[1], no Paraná. Até achávamos que, nessa região, o processo seria mais rápido, mas tivemos uma derrota nas eleições de 1996. Se ganhássemos as três prefeituras de lá – Nova Laranjeiras, Cantagalo e Laranjeiras –, teríamos um enorme impulso para esse novo desenvolvimento rural. Mas perdemos, o que significa que há problemas. Em Bagé (RS) também achávamos que seria rápido. Enfrentamos problemas de limitação do ciclo agrícola, que lá é muito reduzido. Embora havendo avanços, está indo mais devagar do que imaginávamos. Com essa experiência, pretendemos dominar a tecnologia da produção de sementes de hortaliças, o que, para o desenvolvimento rural do país, será uma grande conquista. Imagine o que significa controlarmos a tecnologia da produção de sementes de cebola e de cenoura sem agrotóxicos. Poderemos dizer: "Não precisa mais comprar lá daqueles caras que te exploram e

1. Município da região central do Estado do Paraná. Nele existem muitos assentamentos de reforma agrária. E a cidade se desenvolveu com o processo de assentamentos. A maior empresa do município é a Coagri, cooperativa de assentados.

vendem por dez vezes mais", pois, no nosso cálculo, esta é a margem de lucro. Se conseguirmos entrar no mercado, será uma contribuição para o desenvolvimento geral do Brasil. Friso que ainda está tudo muito embrionário. Há outras regiões, como a do Pontal do Paranapanema, que também podem ter um polo de desenvolvimento regional fantástico.

BERNARDO: *Você considera que o MST está criando uma nova concepção de rural?*
JOÃO PEDRO: Sem dúvida nenhuma. Inclusive, faço outras duas críticas a certas afirmações que andam por aí. A primeira é contra essa interpretação de que tudo tem que ser urbanizado, que agora só existem políticas públicas para a cidade. É uma visão colonizada do mundo. O Terceiro Mundo vive no meio rural. Tive a felicidade de visitar a China, onde 80% da população vive bem no meio rural. Na Índia é a mesma coisa. É uma idiotice, fruto do colonialismo cultural europeu e norte-americano, que levou 250 anos para se urbanizar e agora acha que o seu molde vale para todo o mundo. É a mesma estupidez praticada por aqueles que idealizam um padrão de vida mundial igual ao norte-americano. Se cada família no planeta tiver um automóvel, como sonham os norte-americanos, a Terra acaba em função da emissão de gás carbônico.

BERNARDO: *O MST tem suas raízes no campo, mas desenvolve também lutas nas cidades. Como você analisa essa relação campo-cidade na luta política do MST?*
JOÃO PEDRO: Esse é outro aspecto interessante. Alguns confundem a defesa que fazemos da reforma agrária com uma espécie de volta ao passado. Identificam nossa luta com o atraso. Nada mais falso. O fato de defendermos o desenvolvimento rural como uma via para melhorar a vida para todo mundo não significa que somos contra a aglomeração social. Somos a favor da formação de agro-

vilas. Da mesma forma, não somos contra a indústria. Ela é resultante do desenvolvimento da humanidade e pode trazer inúmeros benefícios à população. Por que a indústria tem de estar na cidade? Por que ela promove uma taxa de exploração cada vez maior da classe trabalhadora? Por que promove uma insana destruição do meio ambiente? Só para gerar uma riqueza concentrada nas mãos de uma minoria? É um custo muito alto, a humanidade toda tem de pagar por este modelo. Queremos mudá-lo.

A proposta é levar a indústria para o interior. Em primeiro lugar, a agroindústria, por estar mais vinculada ao dia a dia da produção de alimentos, do meio rural. Podemos igualmente levar outros tipos de indústria que usam matéria-prima da agricultura, da natureza. As experiências de Israel e da China são reveladoras de que é possível desenvolver o meio rural de uma forma homogênea e levar o desenvolvimento para as populações mais pobres. São dois exemplos de dois sistemas econômicos diferentes que servem para mostrar que é possível pensar num modelo de desenvolvimento diferente daquele que o neoliberalismo tenta impor no Brasil.

MÍSTICA

BERNARDO: *Fale agora sobre a importância da mística para o MST.*
JOÃO PEDRO: Há uma outra contribuição de experiências, conhecimentos e de prática que estamos dando como organização social. O que há de novo nessa organização social, além do que falei até agora? Se fosse para resumir, classificaria em dois aspectos. Um é a questão de como trabalhamos a mística para obter unidade entre nós. Nem a esquerda – porque tinha vergonha – nem a direita desenvolvia isso. Incorporamos a mística como uma prática social que faz com que as pessoas se sintam bem em participar da luta. O outro aspecto, que é uma contribuição geral, é a aplicação daqueles princípios organizativos. Temos, então, duas novidades que o movimento produziu e que podem ser assimiladas por outros tipos de movimentos sociais: a mística e os princípios organizativos.

BERNARDO: *São estes dois aspectos que dão sustentação ideológica e política ao MST?*
JOÃO PEDRO: Para a militância e para as outras pessoas também. Por que uma pessoa se engaja numa marcha até Brasília? Porque se sente bem, se sente feliz. Todo mundo olha e diz: "Que sacrifício", mas o cara está gostando, como aconteceu com aquele senhor idoso de Promissão, o senhor Luiz Beltrame, de 90 anos[1]. Ele caminhou 1.200 Km e, quando chegou em Brasília, disse que estava espe-

1. Assentado na antiga Fazendas Reunidas, município de Promissão (SP). Participou da coluna sul, caminhando da cidade de São Paulo até Brasília, num trajeto de aproximadamente 1.200 quilômetros percorrido pela Marcha Nacional, realizada pelo MST entre fevereiro e abril de 1997.

rando que o movimento marcasse a próxima caminhada. Poderia ter dito assim: "Pô, eu acabei com os meus pés. Vou levar uns três meses para recuperar a saúde". Ele tinha o direito de dizer o que quisesse.

BERNARDO: *É isso que faz com que famílias fiquem até seis anos acampadas?*
JOÃO PEDRO: Os exemplos de sacrifícios são enormes. Elas permanecem tanto tempo porque têm a mística e os princípios organizativos, não é só porque a terra é necessária.

BERNARDO: *A mística é uma prática que o movimento desenvolve. De certa forma, é seu alimento ideológico, de esperança, de solidariedade. A mística, para o MST, é um ritual. Ela tem um caráter histórico, de esperança, de celebração permanente. Está certa essa interpretação?*
JOÃO PEDRO: Está, mas ela é mais do que isso. Até por influência da Igreja, tínhamos a mística como um fator de unidade, de vivenciar os ideais, mas, por ser uma liturgia, vinha muito carregada. Com o passar do tempo – tudo é um processo de construção – fomos nos dando conta de que, se tu deixas a mística se tornar formal, ela morre. A mística só tem sentido se faz parte da tua vida. Não podemos ter momentos exclusivos para ela, como os Congressos ou Encontros Nacionais ou Estaduais. Temos de praticá-la em todos os eventos que aglutinem pessoas, já que é uma forma de manifestação coletiva de um sentimento. Queremos que esse sentimento aflore em direção a um ideal, que não seja apenas uma obrigação. Ninguém se emociona porque recebe ordem para se emocionar; se emociona porque foi motivado em função de alguma coisa. Também não é uma distração metafísica ou idealista, em que todos iremos juntos para o paraíso. Se for assim, então vamos chorar, como se faz em muitas seitas religiosas. Já os carismáticos, estes usam a mística para um ideal inalcançável. No caso, ela não se sustenta,

da mesma forma que esse movimento carismático não dura a vida inteira. As pessoas se darão conta do engodo, que pode até durar 20 anos ou 30 anos, mas não sobrevive na história da humanidade. Diferentemente, fomos construindo maneiras de fazer mística a partir de uma maior compreensão. Antes só imitávamos: "A Igreja usa determinada liturgia mística para manter a unidade em torno do projeto do Evangelho". Quando forçávamos a cópia, não dava certo, porque as pessoas têm de ter o sentimento voltado para algum projeto. A partir dessa compreensão, em cada momento, em cada atividade do movimento, ressaltamos uma faceta do projeto como forma de motivar as pessoas.

BERNARDO: *Qual é a relação do MST com a religiosidade?*
JOÃO PEDRO: É um aspecto interessante que deve chamar a atenção da sociedade. Como é que nós, que somos de esquerda, vamos sempre à missa? Para nós, não existe contradição nenhuma nisso. Ao contrário: a nossa base usa a fé religiosa que tem para alimentar a sua luta, que é uma luta de esquerda, que é uma luta contra o Estado e contra o capital.

A mística faz com que as pessoas se sintam bem. Nos últimos tempos, temos conseguido teorizar um pouco mais sobre ela. Editaremos uma cartilha com diversos textos de Leonardo Boff. Como teólogo que é, ele analisa as origens da mística no pensamento humano. Também do Ranulfo Peloso, que escreveu um texto sobre as razões da existência da mística. E ainda um texto de Ademar Bogo[2] que reflete sobre a nossa prática a respeito. É uma espécie de teorização sobre os 10 ou 15 anos de nossa prática.

BERNARDO: *Quais são os símbolos do movimento?*
JOÃO PEDRO: A bandeira, o hino, as palavras de ordem, as ferramentas de trabalho, os frutos do trabalho no campo

2. Liderança do MST que atua no Setor de Formação. Destaca-se como poeta e autor de músicas utilizadas pelo movimento. É autor do hino do MST.

etc. Eles aparecem, também, de muitas formas: no uso do boné, nas faixas, nas músicas etc. As músicas são um símbolo muito importante. O próprio *Jornal Sem Terra*, para o MST, já é mais do que um meio de comunicação. É um símbolo. O militante se identifica, tem afinidade, gosta dele.

BERNARDO: *Como é que surgiu a bandeira do Movimento dos Sem Terra?*
JOÃO PEDRO: De acordo com a concepção de mística, teoricamente a gente já vinha aprendendo com a Igreja – e na prática também – que em qualquer organização social, em qualquer movimento social, não é o discurso que proporciona a unidade entre as pessoas na base. O que constrói a unidade é a ideologia da visão política sobre a realidade e o uso de símbolos, que vão costurando a identidade. Eles materializam o ideal, essa unidade invisível.

No início do movimento, como tudo que fomos construindo, usávamos várias formas de bandeiras. Alguns só usavam as vermelhas. Uma, que usamos lá na Encruzilhada Natalino, em Ronda Alta, trazia escrito: "O povo unido jamais será vencido". Em outras, escreviam: "Terra para quem nela trabalha". O Mastro tinha uma com os dizeres "Terra e justiça". Eram utilizados, enfim, alguns tipos de estandartes que, espontaneamente, a turma ia construindo na sua luta.

Devagar, na medida em que o movimento foi crescendo, percebemos que deveríamos ter identidade própria, até para evitar que se pulverizasse em tantas que dificultasse uma unidade e uma identidade originais. Em meados de 1986, abrimos uma discussão no movimento para que as pessoas, nos Estados, elaborassem e apresentassem sugestões. No Encontro Nacional que aconteceu em Piracicaba (SP) no final de 1986 ou início de 1987, não me lembro bem, surgiram várias propostas, que eram devolvidas aos Estados, a fim de que todos tomassem conhecimento das ideias apresentadas.

Quando veio o Encontro Nacional, havia duas ou três propostas. Após a discussão, foi vitoriosa a proposta que é hoje a nossa bandeira. Pedimos para o Hamilton Pereira[3] escrever um poema à bandeira. Ele escreveu. Foi uma espécie de lançamento oficial da bandeira para a militância. Na hora, não se tinha tanta clareza quanto ao significado de cada elemento ou cor. Só dos elementos, digamos, mais gerais. Por exemplo: a cor vermelha, pela tradição de luta, pela identidade da classe trabalhadora, é um elemento ideológico muito forte. O casal que está desenhado na bandeira foi aproveitado do cartaz do I Congresso. Para mostrar que no mundo nada se cria, nos inspiramos num cartaz da Nicarágua, que tinha um homem e uma mulher numa manifestação. No I Congresso Nacional, em 1985, aquele casal, com um facão erguido, impregnou na turma. É uma marca muito bonita.

BERNARDO: *Como foi essa história de se fazer uma poesia à bandeira do MST?*

JOÃO PEDRO: O Hamilton Pereira estava no Encontro Nacional de Piracicaba, em 1987, como um dos convidados para a palestra sobre conjuntura agrária. Fomos atrás dele e falamos: "Aprovamos a bandeira. E no final do Encontro faremos o seu lançamento. Queremos que tu faças uma mensagem sobre o significado dela para o movimento". Em vez de fazer uma homenagem, como tínhamos pensado, ele teve a iniciativa de fazer um poema.

BERNARDO: *Aconteceu a mesma coisa com o hino do MST?*

JOÃO PEDRO: Foi um processo parecido, porém posterior. O hino surgiu cerca de dois anos após a bandeira. As propostas vinham para a Secretaria Nacional, em São

3. Utiliza o pseudônimo de PedroTierra em suas poesias. Natural de Tocantins, tem uma longa trajetória de luta política. Preso político durante a ditadura militar, começou a escrever versos na prisão. Com diversos livros de poesia publicados, participou da organização do recital da "Missa dos Quilombos" juntamente com Milton Nascimento e dom Pedro Casaldáliga. Foi secretário agrário do Diretório Nacional do PT e também secretário de Cultura do governo do Distrito Federal. Foi diretor da Fundação Perseu Abramo, do PT.

Paulo, e as devolvíamos para os Estados. Depois, no Encontro Nacional de 1989, em Nova Veneza (SP), foi escolhida a música vencedora. Foi quase que uma espécie de "festival de músicas". A vencedora foi trazida pelo MST da Bahia e tornou-se o hino oficial do MST. Depois de escolhida a música, Paulo Maldos[4], do Instituto Sedes Sapientiae[5], de São Paulo, e grande amigo do MST, se prontificou a contatar o maestro Willy de Oliveira, da Orquestra da USP, para musicar o hino em forma de marcha. O maestro, filho de camponeses e politicamente progressista, aceitou o desafio. Ele não somente musicou a letra, como também fez a gravação com o Coral da USP. Temos uma grande gratidão por ele. Várias vezes o convidamos para nossas festividades, mas ele não pôde comparecer. Queríamos fazer um agradecimento, com toda a militância, ao trabalho que ele fez. Afinal, teve uma generosidade muito grande para conosco.

BERNARDO: *Percebe-se, nos últimos anos, uma preocupação do MST em popularizar mais o seu símbolo e a sua sigla. Isto é intencional ou é apenas resultado do espaço que a luta pela terra está conquistando na mídia?*
JOÃO PEDRO: É verdade. Um amigo que trabalha numa agência de publicidade, em Campinas (SP), disse que a sigla do MST é uma das que mais aparecem na mídia. Se tivéssemos uma estratégia para aparecer na mídia, como fazem as grandes empresas, gastaríamos uma fortuna. Seria algo impossível para o MST. O objetivo final nunca foi a mídia. É a luta social. Só que a luta social acaba conquistando espaços em jornais, revistas, rádios e TV. Por mais que os proprietários dos meios de comunicação ou o governo não gostem, chega um momento em que eles não têm como esconder a luta social. Dessa forma, a sigla e o nome do MST acabam se popularizando.

4. Psicólogo e educador popular. Foi membro do Centro de Educação Popular do Instituto Sedes Sapientae (Cepis), em São Paulo, onde assessorava e apoiava as atividades do MST.

5. Instituição da congregação religiosa Cônegos de Santo Agostinho, idealizada e fundada por Madre Cristina. Dedica-se principalmente ao estudo da psicologia. No entanto, sempre deu espaço às organizações populares.

Agora, internamente, já tomamos a decisão de colocar a sigla e o símbolo do MST em todos os produtos das agroindústrias dos assentamentos e de nossas cooperativas. Queremos que a sociedade perceba que a bandeira não está ligada somente a ocupações. Temos conquistas importantes nos assentamentos, e a sociedade precisa conhecê-las. Não vamos ter espaço na mídia para isso. Mas podemos abrir canais de comunicação com a sociedade sem precisar usar os grandes meios de comunicação. Basta, como sempre, ter disposição e criatividade.

BERNARDO: *Sobre as músicas que o MST produz, o que tem a dizer?*
JOÃO PEDRO: A música sempre reflete um momento da luta ou da nossa história. Ela é um símbolo mutante. Ou melhor, é um símbolo datado, da mesma forma que as palavras de ordem são símbolos datados. Já o hino e a bandeira não têm data, são atemporais. As músicas e as palavras de ordem nos ajudam a recuperar nossa história. Elas registram o momento e depois crescem de acordo com a evolução da organização. Não quero dizer com isso que elas são apenas resultado da ação política da organização. Muitas vezes elas estão, politicamente, bem mais avançadas do que a ação. Quero simplesmente ressaltar o caráter evolutivo que elas têm. Por exemplo, na época dura da repressão, a música mais cantada era a de Luiz Vila Nova, do Maranhão, que se chamava "O risco que corre o pau, corre o machado". Essa música retratava, fielmente, a violência que vitimava os camponeses do Norte e do Nordeste e os chamava para reagir, para não se deixarem matar impunemente.

Para se ver como mudam as coisas, como hoje estamos discutindo um projeto popular para o Brasil, a música mais cantada atualmente é "Ordem e progresso", do companheiro Zé Pinto. Essa música acabou como símbolo da Marcha a Brasília.

BERNARDO: *Um sinal de que o MST se tornou uma referência para a sociedade é uma propaganda publicada em jornais pela* MTV[6], *onde aparece o boné do MST. Você já viu?*

JOÃO PEDRO: Acho que não chega a ser uma referência. Entendo que referência é algo mais duradouro, enquanto uma peça publicitária é mais momentânea, vale o instante, o momento. Isso mostra a agilidade e eficiência desse setor em aproveitar os fatos que estão em destaque naquele momento. Porém, uma luta social que é relacionada com uma peça publicitária revela duas coisas: primeiro, está em destaque naquele momento; segundo, tem uma receptividade junto à população, ou seja, a população se identifica, gosta ou apoia aquela causa. Portanto, não deixa de ser um indicador do apoio popular que nossa causa recebe, e isso é incentivador.

BERNARDO: *Como você analisa a novela "O Rei do Gado"*[7], *da Rede Globo? O que ela representou para o movimento?*

JOÃO PEDRO: Não foi somente a novela que teve um papel importante. A exposição de fotos "Terra", de Sebastião Salgado[8], teve uma repercussão muito grande. Foi uma exposição mundial sobre a nossa causa, a nossa luta e a nossa realidade. A própria disposição do Chico Buarque em gravar um CD com quatro músicas, para acompanhar a exposição de fotos, também foi muito importante, até mesmo para mostrar como se manifestam as diferentes adesões que a nossa luta recebe. A novela foi importante, independentemente do contexto. Houve um debate sobre esse assunto na revista *Teoria e Debate*[9], do PT.

O impressionante é que o povão não vai pelo detalhe. Para o povão, o importante é que a Globo fale dos sem-terra, não interessa o que fale. Parece que havia, assim, uma certa representação social. O que importava é que os sem-terra estavam na televisão, na Globo. Evidentemen-

6. Canal de televisão que se dedica à divulgação musical. Usou o boné do MST para fazer propaganda do show do conjunto musical inglês U2. Como havia muita gente sem ingresso, o canal se propôs a reproduzir o espetáculo.

7. "O Rei do Gado", telenovela de autoria de Benedito Rui Barbosa que a Rede Globo de Televisão levou ao ar durante o ano de 1996. A novela inclui o tema da reforma agrária e o MST, o que motivou ampla repercussão na sociedade.

te, pelo fato de os sem-terra estarem na novela do canal de TV mais assistido no país, tudo o que acontecia nos assentamentos, nos acampamentos, ganhava importância, podia ser noticiado. Tu tinhas uma exposição virtual, que era a novela, e a real, que vinha acontecendo no dia a dia, que discutia as ocupações e os problemas da escola, da reforma agrária, da produção, e assim por diante. Na cidade de São Paulo, talvez porque a população já está muito urbanizada, até que não houve muita repercussão. Já nos pequenos municípios, que enxergavam o acampamento, o real, o dia inteiro, a novela repercutia mais ainda. Foi impressionante o sucesso que ela fez no interior.

8. Considerado o maior fotógrafo documental da atualidade em todo o mundo. Brasileiro de nascimento, reside atualmente em Paris. Percorre o mundo fazendo reportagens fotográficas. Em 1996, documentou a situação dos sem-terra no Brasil. No ano seguinte, organizou uma exposição internacional com suas fotos, que incluiu pôsteres, um livro-documentário com textos do escritor português José Saramago e um disco com músicas sobre a reforma agrária de Chico Buarque de Holanda. A exposição foi realizada simultaneamente no mês de maio em 40 países e em mais de cem cidades brasileiras, alcançando sucesso absoluto.

9. Ricardo Azevedo e Rogério Sotilli. "Maleddeto latifúndio". Entrevista com João Pedro Stedile e Eugênio Bucci. *Teoria e Debate*, São Paulo, Diretório Regional do PT/SP, n. 34, mar./abr./mai. 1997, p. 32-39.

FHC: CONTRA A REFORMA AGRÁRIA

BERNARDO: *Como você avalia a atuação do governo FHC em relação ao MST?*
JOÃO PEDRO: Na conjuntura da luta pela reforma agrária de 1995 a 1997, a interpretação que fazemos parte de duas premissas. A primeira: o governo FHC faz uma leitura da realidade agrária brasileira dizendo que não existe mais problema agrário na sociedade. Ora, se não existe mais problema, a grande propriedade não é empecilho para o desenvolvimento do capitalismo brasileiro, não é mais necessário fazer uma reforma agrária do tipo capitalista. Isso eles nos dizem com essas palavras.

BERNARDO: *Isso é uma tese?*
JOÃO PEDRO: É uma tese que eles defendem, não é uma mera dedução; é a política do governo.

BERNARDO: *O governo investe nesse sentido?*
JOÃO PEDRO: Sim. A segunda premissa da política do governo é de que o modelo econômico que está em implantação subordina completamente a nação ao capitalismo internacional. Para isso, abre o mercado para produtos de fora e entrega a economia ao domínio do capital financeiro. Hoje, a hegemonia, o centro da acumulação econômica, é o capital financeiro. Ora, nesse modelo a agricultura é marginalizada. A própria burguesia não vê mais na agricultura um centro de acumulação.

BERNARDO: *Tem de estar subordinada sempre.*

JOÃO PEDRO: Tem. Não existe no governo nenhum plano de desenvolvimento do meio rural, e muito menos de desenvolvimento agrícola. Ele argumenta que a agricultura já deu o que tinha que dar. Diz que a agricultura representa hoje só 11% do PIB, então para que se preocupar? Ele trabalha na perspectiva de que, nesse modelo econômico, em que o centro é o capital financeiro, nossa economia se encaminhe para o modelo norte-americano. Ou seja, grandes propriedades produtoras de grãos para exportação e pequenas unidades de produção – a agricultura familiar –, altamente especializadas e com uso intensivo de capital, e não mais apenas de mão de obra, integradas aos grandes complexos agroindustriais. Outra característica desse modelo norte-americano é a redução da população economicamente ativa na agricultura, ao ritmo de 5% ao ano, para chegarmos nos próximos oito anos a um índice de apenas 4% da população no meio rural. Nesse modelo não cabe nenhuma política agrícola voltada para a agricultura familiar, nenhuma política mais abrangente de assentamentos e muito menos uma política de reforma agrária do tipo clássico.

Se trabalharmos na expectativa de que o governo está fazendo apenas uma política de assentamento, mesmo assim essa política é reduzida aos casos de conflitos. Portanto, se não houver conflito, não há assentamento. Não é nem mesmo uma política de assentamento do tipo clássico, em que são ocupados espaços vazios, como foi a política de colonização do regime militar. Não é também uma política de fomento agrícola em novas regiões nem uma política social. Nisso a direita tem razão quando critica o governo Fernando Henrique dizendo que é ele quem estimula a violência... É verdade.

BERNARDO: *Em que se diferencia a política de FHC em relação à que o Collor usou para reprimir o MST?*

---

1. Expressão usada para denominar a política proposta pelo Banco Mundial para o governo brasileiro como alternativa à reforma agrária clássica, realizada mediante a desapropriação dos latifúndios improdutivos. No caso dessa política, o Banco Mundial tem emprestado dinheiro para o governo brasileiro adquirir fazendas à vista, independentemente da condição ou da viabilidade. As famílias assentadas passam a dever o valor das desapropriações diretamente ao banco. Trata-se, portanto, de uma verdadeira imobiliária rural, que beneficia apenas os fazendeiros.

2. Esse decreto permite que o Incra realize desapropriações de forma negociada, utilizando, para tanto, dinheiro ou títulos, e também alterando os prazos de pagamento.

João Pedro: Qual é a natureza ou a característica do governo FHC nessa conjuntura em relação à política de assentamento? Na nossa avaliação, ele trabalha basicamente com três variantes. A primeira, é estimular o chamado mercado de terras, em que as próprias forças capitalistas atuam no assentamento. A chamada reforma agrária de mercado[1] na verdade é apenas uma verbalização, não tem nada de conceito. A forma como o governo obtém as terras teria que ser da forma mais capitalista possível. Qual é esta forma? A de compra e venda. Às vezes, negociam propriedades rurais pelo decreto n. 433[2], pagando uma parte com Títulos da Dívida Agrária (TDAs)[3], mas com prazo reduzido de três anos. Hoje as TDAs têm valor, porque atuam nas privatizações, transformando-as imediatamente em ações para a compra de empresas estatais. Agora, com a criação do Banco da Terra[4], o governo tentará captar dinheiro no mercado internacional – o Banco Mundial já ofereceu – para ativar o mercado de compra de terras. Mesmo assim o resultado social será mínimo. O governo está dizendo: "Bom, nos próximos dois anos, vou botar R$ 1 bilhão no mercado de terras". Se levarmos em conta que cada família precisa de R$ 20 mil no mercado capitalista para ser assentada, porque nesse caso a desapropriação fica mais cara, o governo atenderá 50 mil famílias. Isto não tem significação social, porque o principal é o método, e não o alcance. Se fosse o alcance, era melhor ir para a reforma agrária clássica.

A segunda ferramenta básica que o governo está usando é a propaganda. Ele parte de uma falsa interpretação de que o apoio social que o MST e a reforma agrária têm na sociedade não é porque temos uma causa justa, porque somos lutadores ou porque somos um movimento social, mas sim porque teríamos habilidade em fazer propaganda, como se a ocupação de terra fosse um ato de *marketing* político. Partindo dessa visão, o governo

3. Títulos que o Tesouro Federal emite e com os quais o Incra paga as fazendas desapropriadas. Esses títulos têm vencimentos anuais. O Incra é que define nas negociações com o fazendeiro o valor da desapropriação e o prazo de resgate. Em média, tem feito negócios com prazo de cinco anos, embora possa ir até a 15 anos. Os fazendeiros costumam renegociar esses títulos no mercado mobiliário, recebendo valores menores do que o de face. Em alguns casos, o governo aceitou esses títulos no processo de privatização das empresas estatais, o que os transformou num grande negócio para quem os possuía.

4. Banco da Terra é uma política oficializada em 1999 pelo governo FHC para compra de terras destinadas à implantação de assentamentos rurais. O banco estabelece uma linha de crédito fundiário, controlada pelo BNDES, que também contará com recursos do Banco Mundial. Com essa política, o governo restringirá as desapropriações à região Norte, favorecendo ainda mais os latifundiários, que receberão dinheiro à vista pelas terras vendidas. O latifúndio deixa de ser penalizado por não cumprir com sua função social, conforme exige a Constituição, e torna-se um ativo financeiro. Assim, o governo FHC descaracteriza de vez a reforma agrária e mercantiliza a questão agrária.

interpreta que, se também fizer propaganda, rebate a nossa. A política geral do governo está calcada nessas duas coisas: transferência da política de assentamento para o mercado de terras e propaganda. Durante muito tempo, o ministro que mais apareceu nos jornais e na televisão foi o Raul Jungmann[5], da Reforma Agrária. Disparado. Pedro Malan[6], que é o mais importante ministro e quem manda no país, durante muito tempo apareceu bem menos. Jungmann é quem mais aparecia nos cadernos de política. Por quê? É a necessidade do governo de dar a resposta em propaganda para enganar a opinião pública.

Finalmente, há um terceiro componente na atual conjuntura da reforma agrária: a política específica de FHC com relação ao MST. Na análise de conjuntura que realizamos no Encontro Nacional de 1997, ficou claro que o governo não teve uma tática uniforme em relação ao MST nos seus três primeiros anos. Ele desmereceu a reforma agrária ao fazer uma análise equivocada de que não havia mais problema agrário e, portanto, de que não havia necessidade da reforma agrária. Bastaria, no máximo, fazer assentamentos. Para ele, o movimento social não existia ou não tinha importância. Teve de ir mudando de tática, porque não conhecia a dimensão do problema. Num primeiro momento, ignorou o MST. "Não, isso é coisa do passado", dizia. Em outras palavras, aplicou a teoria uspiana de que não há mais necessidade da reforma agrária. Chegou a colocar um banqueiro – o Andrade Vieira, dono do Bamerindus – como ministro da Agricultura, Abastecimento e Reforma Agrária, e na presidência do Incra uma pessoa que duvido que alguém, mesmo da imprensa, se lembre do nome.

BERNARDO: *Brasilino...*

JOÃO PEDRO: Brasilino de Araújo Neto[7], que ficou um ano e pouco na presidência do Incra. Era um desconhecido membro da UDR do Paraná. Só sabe o nome dele quem

---

5. Membro licenciado da executiva do Partido Popular Socialista (PPS). Foi transferido do Instituto Brasileiro do Meio Ambiente (Ibama) e nomeado em maio de 1996 ministro extraordinário da Reforma Agrária. O governo federal criou o Ministério assustado com a repercussão do massacre de Carajás (PA).

6. Ministro da Fazenda do governo Fernando Henrique Cardoso. Anteriormente, havia sido professor, funcionário do Banco Mundial e presidente do Banco Central do Brasil.

7. Pecuarista no Estado do Paraná, vinculado ao Partido Trabalhista Brasileiro (PTB) e à federação dos fazendeiros. Foi nomeado presidente do Incra no início do governo Fernando Henrique Cardoso, indicado por Andrade Vieira, seu padrinho político, senador do PTB, banqueiro e, na época, ministro da Agricultura. Permaneceu no cargo menos de um ano.

está envolvido no assunto. Com essa nomeação, o governo revelou uma tática de completa ignorância. Para ele, o MST não existia. Derrotamos essa tática de uma maneira voluntária e também involuntária. A involuntária foi o massacre de Corumbiara (RO), em agosto de 1995, que revelou ao mundo a existência dos problemas agrários no Brasil. A voluntária foi o nosso III Congresso Nacional, em Brasília, com aquela passeata de 5 mil pessoas, que nos recolocou na imprensa. "Olha, tem sem-terra aí, não vai dizer que esses caras não existem", dizia a cobertura da imprensa na época. Não é qualquer movimentozinho que faz um Congresso com 5 mil pessoas durante cinco dias. Aí, o governo mudou de tática. Tentou nos cooptar nomeando Francisco Graziano[8] presidente do Incra, pessoa conhecida no meio acadêmico. Ele ia nos assentamentos e acampamentos e vivíamos de amores com ele. Aceitamos esse jogo. Uma vez o levamos para almoçar no assentamento de Sumaré[9], em São Paulo, mas também o levamos ao acampamento da Macaxeira[10], no Pará. "Quer ver como é? Então venha", falávamos. O governo achava que nos contentaríamos com essa prosa toda. Enquanto isso, aproveitamos esse espaço para preparar para março ou abril de 1996 grandes ocupações de terra em todo o Brasil. Ora, já havíamos vivido experiência semelhante depois daquela onda de ocupações de maio de 1985, durante a Nova República.

BERNARDO: *A primeira grande onda de ocupações aconteceu em Santa Catarina?*
JOÃO PEDRO: Sim. Em Santa Catarina, no Paraná, na Bahia e em outros Estados. Onze anos depois, fizemos uma segunda grande onda em Sergipe, Pernambuco, Pará, Paraná, Mato Grosso do Sul etc. Aí, o governo se assustou e disse: "Pô, com esses caras não dá para negociar, estava aqui tentando levar de compadre e veja só o que eles fazem..."

8. Agrônomo, professor da Unesp, foi secretário particular do presidente Fernando Henrique e presidente do Incra no ano de 1996. Foi demitido por envolvimento em escândalo de escuta telefônica dentro do governo. Posteriormente, foi secretário de Agricultura do Estado de São Paulo (1997-1998). Elegeu-se deputado federal pelo PSDB em 1998.

9. Assentamento de 12 famílias no município de Sumaré, distante 130 Km de São Paulo. O almoço com o presidente do Incra foi em setembro de 1996.

10. Complexo de 50 mil hectares no município de Parauapebas, sudoeste do Pará (PA), pertencente a diversos fazendeiros. Conhecido como Fazenda Macaxeira, nesse complexo estão assentadas as famílias vítimas do massacre de Eldorado dos Carajás, em 17 de abril de 1996, quando 19 sem-terra foram assassinados.

BERNARDO: *Francisco Graziano escreveu o livro* Qual Reforma Agrária? *Ele pergunta "o que vocês querem?" É um recado ao MST?*

JOÃO PEDRO: Eu não li ainda o livro.

BERNARDO: *Nesse livro, ele escreve: "Estávamos ali para negociar com o MST. Chegamos a atender suas reivindicações, mas assim que atendíamos eles ocupavam novamente. Queriam o quê? Queriam a reforma agrária ou fazer política com a gente?" Escreveu também que existe um projeto político do movimento.*

JOÃO PEDRO: Que é a nossa reforma agrária. Mas aí eu dou razão ao deputado Alcides Modesto[11] (PT-BA) quando disse no jornal *Folha de S.Paulo* (26/9/95): "O que não queríamos que ocorresse com Fernando Henrique, desejamos que ocorra com o engenheiro agrônomo Graziano: que ele esqueça tudo o que falou e escreveu contra a reforma agrária".

BERNARDO: *Quem substituiu Francisco Graziano?*

JOÃO PEDRO: Graziano saiu em novembro de 1995 por aqueles problemas de grampo telefônico. Raul do Vale[12] entrou em seu lugar. Ele era muito mais nosso amigo e, inclusive, seria uma pessoa muito mais indicada do que o Graziano, que tem o narizinho empinado, para fazer a política de cooptação. Raul do Vale é muito mais honesto, muito mais amigo, tanto é que "fritaram" ele. Também não se adaptou à política do governo e estava sendo convencido a aderir ao nosso projeto.

BERNARDO: *Foi chutado para fora.*

JOÃO PEDRO: Foi chutado. Na época, ocorreu um episódio incontrolável: o massacre de Eldorado dos Carajás (PA)[13]. O governo aproveitou o episódio para livrá-lo das pressões da imprensa. Com a destituição de Raul do Vale do Incra, o governo nomeia Jungmann ministro da

11. Ex-padre com atuação política na região de Paulo Afonso (BA). Foi duas vezes deputado federal pelo PT-BA.

12. Agrônomo, vinculado ao Partido da Social-Democracia Brasileira (PSDB) de São Paulo. Considerado um técnico especialista em reforma agrária, participou da experiência chilena. Foi nomeado presidente do Incra em substituição a Francisco Graziano, no final de 1996. No início do ano seguinte, foi substituído por Milton Seligman.

13. Carajás, região localizada no sudeste do Pará. Recebeu essa designação em função da serra dos Carajás, onde antigamente viviam os povos indígenas do mesmo nome. O centro da região é a cidade de Marabá. Foi no município de Parauprbas que ocorreu o massacre de 19 sem-terra, em 17 de abril de 1996, durante uma manifestação na rodovia local, praticado pela Polícia Militar e por fazendeiros. Até hoje nenhum dos 156 policiais e oficiais envolvidos no massacre sofreu qualquer punição ou julgamento. Em março de 1998, oito desses mesmos policiais envolveram-se no assassinato de mais dois líderes do MST na região.

Reforma Agrária e dá a ele todo o poder para aplicar a terceira tática na política geral em relação ao MST, que é nos isolar. Ele se dá conta de que éramos o principal inimigo e começa a bater. Jungmann não tem política própria, sempre foi um porta-voz do Palácio do Planalto. É um adesista. Se pensasse um pouco, deveria se recordar dos seus tempos de Partidão. No fundo, é apenas um papagaio do Palácio do Planalto, pois só repete o que o pirata diz. Ao adotar a política de isolamento, não negociava. Foi aí que surgiu a ideia da Marcha, como tática para evitar o isolamento. Conseguimos derrotar essa política de isolamento em abril de 1997, quando chegamos à capital federal com todo aquele apoio. Jungmann já estava desmoralizado. Chamei ele de mentiroso na cara do presidente. "O seu ministro é mentiroso", falei para FHC, "para o senhor ver como há uma distância entre a realidade e a prática". FHC disse: "Mas por quê?" E eu respondi: "Olha aqui o material que o senhor acaba de distribuir. Diz que gastou R$ 33 milhões com o Lumiar[14], mas esse projeto não saiu nem do papel ainda, não tem nenhum técnico contratado. Como é que o senhor diz que em 1996 gastou R$ 33 milhões em técnicos? Isso é mentira". FHC se virou para Jungmann e perguntou: "E aí ministro?" O ministro respondeu: "É, de fato, ainda é um programa em implantação, mas agora vai". Foi ridículo.

Era abril de 1997 e o governo não poderia demitir Jungmann, porque seria uma desmoralização total. Começou a adotar a tática do "pau e prosa": negociava de vez em quando e, se precisava, dava porrada ou abria brechas para os repressores. Por exemplo: quando percebeu que estávamos avançando muito nas conquistas, orientou o ministro da Justiça, Íris Resende[15], a fazer aquela reunião com os secretários de Segurança para apertar o MST.

Há uma coisa fundamental que aprendemos e que é muito importante para a história do MST. Incorporamos

14. Projeto de autonomia de assistência técnica. O Incra libera recursos para que as cooperativas, associações ou entidades de assessoria contratem seus agrônomos para dar assistência nos assentamentos.

15. Ex-governador de Goiás e senador pelo PMDB, foi ministro da Justiça num curto período de tempo, entre os anos de 1997 e 1998, como parte das alianças e da estratégia de cooptação do governo federal em relação ao Partido do Movimento Democrático Brasileiro (PMDB). Foi derrotado nas eleições de 1998 ao governo de Goiás.

a seguinte visão: os governos das elites brasileiras sempre vão aplicar, com os movimentos de trabalhadores em geral – com qualquer um deles e especialmente conosco –, a tática clássica da burguesia, aplicada desde o desenvolvimento do capitalismo industrial ou da Revolução Industrial para cá. Isso acontece sempre que os trabalhadores começam a criar movimentos de caráter classista. Essa tática é composta de três componentes. O primeiro é a cooptação. Como faz parte do *modus operandi* deles e da luta de classes, sempre vão tentar cooptar os líderes. O segundo componente é a divisão do movimento. Isso é clássico também. Está aí a prova do Pontal. Pior é quando a esquerda se presta a fazer esse tipo de trabalho. A divisão do movimento de massas só interessa a eles.

O terceiro componente é a repressão. Se a cooptação e a divisão não funcionam, vem a repressão. A burguesia sempre atuou assim na história da luta de classes. O MST tem de estar preparado para isso, independentemente das nuanças que a política oficial tem. Isso é o governo FHC.

BERNARDO: *O governo está desenvolvendo uma política para se livrar dos assentamentos. Pretende, por meio da sua emancipação, desvincular os assentados do Procera. O que isso representa para o MST?*
JOÃO PEDRO: É uma tática nova que ele tem anunciado de uns tempos para cá. Discutimos isso no último Encontro Nacional. Aprovamos uma resolução por unanimidade: contra a emancipação e denunciar essa artimanha de todas as formas possíveis. Para o governo, a política de emancipação dos assentamentos se enquadraria como uma medida concreta dentro daquela segunda linha das políticas clássicas de acabar com o movimento dos trabalhadores, que é a divisão. Quer nos dividir, pois já percebeu que a força do MST está justamente nos assentados. Não quer

que a base continue a lutar por outras coisas, como escola, agroindústria, capital para investir. Isso não se conquista individualmente. A emancipação proposta é para quebrar o movimento. Se emancipar, o governo não precisará mais conceder financiamento para os assentados. Além disso, pode nos gerar um problema político gravíssimo devido à contrapropaganda da reforma agrária. Do ponto de vista legal, a emancipação só pode ser implementada se o assentado pagar o Incra. A política de emancipação terá a consequência gravíssima de estimular a venda de lotes. É um veneno contra a reforma agrária em geral, é um perigo. A venda de lotes nos isola da sociedade, não há argumento que a justifique.

BERNARDO: *Numa perspectiva de desenvolvimento da agricultura, o Procera teria que ser expandido para muitos pequenos produtores que não se diferenciam em nada dos assentados. Há pequenos produtores com 10 ou 20 hectares que não recebem financiamentos e que poderiam se cooperativar para recebê-lo.*
JOÃO PEDRO: Essa é a luta que o Movimento dos Pequenos Agricultores (MPA), organizados no Rio Grande do Sul, está fazendo. Já conseguiu um Pronafinho[16] em 1998, no valor de R$ 1.500,00 por família, com R$ 400,00 de subsídio. É um começo. Já o Francisco Graziano está fazendo o contrário disso. Como deputado federal pelo PSDB de São Paulo, corre atrás dos pequenos agricultores de Assis e de Itapeva dizendo: "Vocês estão mal porque o governo tem de ajudar os assentados".

16. É um apelido para o Pronaf (Programa de Apoio à Agricultura Familiar), que é aplicado de forma reduzida e em situações especiais para os agricultores mais pobres.

A Marcha

BERNARDO: *A Marcha Nacional a Brasília sem dúvida marcou a história do movimento. Como é que surgiu a ideia dessa Marcha? O que, de fato, ela representou na história do MST?*

JOÃO PEDRO: Como o MST é um movimento social em que participam muitas pessoas, em muitas frentes de atividades, de âmbito nacional, sempre é difícil caracterizar se nasceu aqui ou ali, se foi tal pessoa que deu a ideia. Tudo é um processo, conforme já falei várias vezes. Tu não podes dizer que o movimento nasceu na Macali porque não nasceu lá. Tu também não podes dizer que o Setor de Educação teve o seu ápice no Enera. Há mais de dez anos o Setor de Educação vem sendo construído. O movimento tem essa característica: tudo é movimento, no sentido literal da palavra. A ideia da Marcha teve a mesma origem da ideia das caminhadas, coisa que já vínhamos praticando há muitos anos. A primeira grande caminhada que realizamos foi com as famílias acampadas na Fazenda Annoni[1], de Sarandi a Porto Alegre. Foram mais de 300 quilômetros de caminhada, o que motivou uma repercussão muito grande. O sentido da caminhada não é uma coisa nova nem é ideia original do MST, nem das organizações camponesas ou dos trabalhadores. Estudando a história dos povos, percebemos que sempre existiram exemplos de caminhadas. Nas lutas mais generosas da humanidade, sempre houve caminhadas massivas e longas. É um gesto coletivo já histórico.

1. Fazenda Annoni, de 9 mil hectares, localizada em Sarandi (RS), desapropriada em 1975 e que permaneceu em litígio judicial até 1987, quando mais de 2 mil famílias do MST a ocuparam. Passaram a pressionar o governo e o Judiciário para que fosse efetivado o assentamento, o que finalmente ocorreu em 1992. Em função do assentamento, deu origem a um novo município de Pontão, que teve como prefeito Nelson Gracielli, assentado e antigo militante do MST.

BERNARDO: *É o caso da Revolução Chinesa?*
JOÃO PEDRO: É um exemplo. Tem a caminhada de Moisés[2], a de Ghandi[3] rumo ao mar para salvar o sal dos hindus, a de Mao Tse-tung. Há caminhadas em todos os períodos da história. O povo judeu também caminhou muito durante a Segunda Guerra Mundial, nas migrações que fez para fugir do nazismo. A luta de resistência dos povos indígenas, nos Estados Unidos[4], é uma espécie de caminhada. O povo guatemalteco tem marchas famosas. A Revolução Mexicana[5] foi feita praticamente a pé. A caminhada está presente em tudo na humanidade, como em todas as matrizes ideológicas e em várias épocas.

Internamente, tínhamos como experiências pontuais caminhadas até a capital de um Estado ou até uma cidade-polo na região onde estávamos mais concentrados. Começou então a aparecer em reuniões, nos corredores, nas conversas, essa ideia de fazer uma caminhada até Brasília. Não dá para dizer de onde é que surgiu a ideia. Acho que vem da própria existência do MST.

BERNARDO: *Embora aprenda com experiências de outras organizações, o MST não as reproduz literalmente. Acrescenta sempre uma característica própria. Não é uma simples cópia. Há também o elemento da criação.*
JOÃO PEDRO: Concordo. Já tivemos várias ideias boas em diversos setores e que não vingaram. Se não tiverem seu tempo de amadurecimento, de maturação, não progridem. Morrem na casca, como dizemos. Exemplifica bem isso a gravação do nosso *S*[6] com as músicas de luta pela reforma agrária. Fazia uns dois anos que tínhamos aprovado a ideia na Direção e, nesse período, ela vinha sendo discutida internamente. Como ainda não estava madura, surgiu um coletivo de músicos do MST – o que não estava previsto – e, quando fomos ver, o CD já estava gravado. Se tu perguntares como surgiu esse CD, duvido que alguém te explique.

---

2. Figura histórica registrada pela Bíblia, liderou o povo hebreu na fuga da escravidão no Egito e no retorno às terras da Palestina. Segundo a história, a caminhada teria demorado 40 anos. Moisés morreu antes de chegar à "Terra prometida".

3. Movimento pacifista organizado por Gandhi (cf. nota 25, p. 58), na década de 1940, na Índia, contra o império inglês que dominava o país. Em certa época, os ingleses monopolizaram o comércio do sal. Para se rebelar contra o monopólio, Gandhi convocou o povo a fazer uma caminhada rumo ao mar, para simbolizar que o sal era de todo o povo hindu. Foi vitorioso. Milhares de pessoas participaram da caminhada histórica.

4. Os povos indígenas originários (peles-vermelhas) que viviam no território norte-americano. Muitos deles realizaram grandes caminhadas para resistir ao invasor. Destacaram-se os povos Sioux, Apaches e Comanches, entre outros.

A Marcha

Deixe eu voltar à Marcha a Brasília, para uma melhor compreensão do acontecimento. A Marcha, muito mais do que a ideia dela em si, fazia parte de uma contratática para enfrentarmos a tática do governo, que era a de nos colocar no isolamento. FHC, depois que colocou Raul Jungmann como ministro, começou a tentar nos isolar. Apostou que o movimento só tinha projeção na sociedade por causa de nossa propaganda, dos espaços que ocupávamos na mídia. Jungmann e seus marqueteiros planejaram fazer uma disputa conosco como é feita entre duas marcas diferentes de sabão em pó. Uma disputa para ver quem recebia a preferência da sociedade. Esse é o sujeito que FHC colocou para ser ministro da Reforma Agrária. Ora, qualquer sociólogo, na ativa, sabe que conflitos sociais não se resolvem com propaganda. Enquanto existir o conflito, existe a organização social. O pior é que Jungmann – sem nenhuma sensibilidade para questões sociais – conseguiu vender seu peixe para FHC. Ambos acreditavam que fazendo propaganda contra a gente, nos isolando, conseguiriam nos derrotar. Esqueceram que um movimento social não é uma caixa de sabão inerte numa prateleira.

Não podíamos ficar parados, esperando que a tática deles não desse certo. Tínhamos que desenvolver iniciativas que mostrassem para a sociedade que um problema social só se resolve com a adoção de medidas políticas. Não com *marketing* ou com generosas verbas de publicidade para os meios de comunicação. Se conseguíssemos fazer isso, teríamos a sociedade ao nosso lado, e ela nos defenderia da ofensiva que o governo desencadeava contra nós.

BERNARDO: *Qual era o objetivo principal da Marcha?*
JOÃO PEDRO: O de dialogar com a sociedade e fazer frente à ofensiva de FHC. Assim, um longo trajeto foi percorrido em mais de dois meses. Não fomos de ônibus, fomos caminhando e, em cada cidadezinha que passávamos, ex-

---

5. Realizada basicamente por camponeses, no período de 1910 a 1920. No Norte, foram liderados por Francisco (Pancho) Villa; no Sul, por Emiliano Zapata (cf. nota 23, p. 61). Ocuparam todo o território caminhando e lutando com seu exército camponês. Foram vitoriosos ao realizarem uma reforma agrária na marra, distribuindo as terras para quem nela trabalhasse. Tomaram o palácio presidencial, mas depois abandonaram-no. As forças reacionárias se reaglutinaram com apoio dos Estados Unidos. Prepararam emboscadas, assassinaram as principais lideranças e derrotaram o movimento.

6. *CD* com a gravação das músicas cantadas pelo Movimento dos Sem Terra durante toda sua trajetória. Gravado por diversos artistas que apoiam a reforma agrária, foi lançado nacionalmente em julho de 1998, no Rio de Janeiro, com o nome de "Arte em Movimento".

plicávamos para a população o sentido da luta, fazendo um trabalho de conscientização política. Esse foi o sentido da caminhada. Na nossa ideia, a chegada a Brasília era apenas a consequência. O principal objetivo era realizar, durante o trajeto, o contato com a população, não com o governo. Tanto é que quando preparamos a logística da Marcha, originalmente, pensamos em fazer cinco colunas. Além das três colunas que realmente saíram, uma do Centro-Oeste, outra do Sudeste e a terceira do Sul, faríamos outras duas. Uma do Nordeste, saindo de Petrolina (PE), e outra do Norte, partindo de Imperatriz (MA). Depois, avaliamos que era inviável e que exporíamos os companheiros a um sacrifício muito grande. Essas duas últimas colunas iriam passar por regiões inóspitas, despovoadas. Ora, se o objetivo era falar com a população, por que iríamos caminhar 250 Km onde não há população? O objetivo era falar com o povo. Não temos a Rede Globo nem a *Folha de S.Paulo* nas mãos. Temos, porém, gente, criatividade e vontade. Então fizemos a Marcha para estabelecer um canal de comunicação com a população, num momento em que o governo de FHC procurava nos isolar da sociedade. Não tínhamos que nos meter em audiência com o presidente. Não era esse o objetivo. Também não tínhamos a preocupação de apresentar uma pauta de reivindicações ao governo. Ao contrário, avaliamos que a apresentação de um pauta de reivindicações diminuiria o significado daquela ação política. Se fôssemos apresentar uma reivindicação, seria a reforma agrária do MST. E isso, pela natureza desse governo, sabíamos que ele não atenderia. E se fôssemos apresentar uma pauta de reivindicações pontuais, não haveria a necessidade de fazer três colunas, cada uma caminhando mil quilômetros, para culminar com uma manifestação popular monstruosa em Brasília. O objetivo foi o de conversar com a população e romper com o isolamento que o governo tentava nos impor. E foi um amplo sucesso.

BERNARDO: *Como foi a audiência com o presidente?*
JOÃO PEDRO: Ele queria nos receber dia 17, na chegada da Marcha. Como estava previsto na programação original, reservamos esse dia para um grande ato político contra a política neoliberal do governo FHC. Assim, avisamos que a audiência deveria ser marcada para dia 18, no dia seguinte à chegada. Coerente com os propósitos da Marcha, não havia nenhuma reivindicação específica no documento que entregamos a FHC. Era um documento crítico à política neoliberal e que não se restringia à questão da reforma agrária. A intenção, repito, não era negociar com FHC. Com o apoio que recebemos da população durante toda a Marcha e, principalmente, na chegada, queríamos fazer uma crítica contundente contra a política neoliberal. Esse foi o clima da audiência. Assim, não restringimos a presença somente aos membros do MST. Estiveram presentes a cantora Beth Carvalho e representantes dos povos indígenas, dos petroleiros – categoria duramente reprimida pelo governo FHC –, das Igrejas e dos movimentos populares e sindicais. Era a sociedade reunida contra a política neoliberal.

Os editoriais de direita ficaram vociferando nos jornais que foi um desrespeito termos ido de bonés e camisetas na audiência com um presidente da República. Eles não perceberam que era uma audiência da sociedade com o presidente. Quem concedeu não foi o presidente, foi a sociedade. O presidente teve o mérito de atender a convocação. Afinal, como diz a Constituição Federal, todo poder emana do povo. Esta foi a audiência com o FHC. A intenção não era negociar com o governo. Não era reivindicar nada. E acertamos.

BERNARDO: *Fazendo uma relação com o que você falou sobre o período da Nova República, o professor José de Souza Martins disse que o grande fracasso da Marcha a Brasília, em 1997, foi o fato de o MST não ter propostas para discutir com o governo e de não ter aceitado o convite para participar de uma comissão de estudos sobre a reforma agrária. Você avalia esse convite de FHC como uma tentativa de cooptação, como as que aconteceram no início do governo da Nova República?*

João Pedro: Acertamos em recusar a comissão do presidente. Fizemos essa avaliação naquele momento e hoje estamos mais convencidos ainda de nosso acerto. Aliás, na nossa avaliação crítica, perdemos uma boa oportunidade para avançar bem mais. Não na audiência com o presidente, mas na área política, com a sociedade. Por exemplo: poderíamos ter convocado todos os que estavam na Marcha para seguir em caravana até o Rio de Janeiro para impedir a privatização da Companhia Vale do Rio Doce. A Marcha poderia ter conquistado essa vitória para o povo brasileiro. Não nos demos conta da força que tínhamos nas mãos.

Penso que o professor José de Souza Martins se ilude com a figura de Fernando Henrique, de quem ele foi colega e aluno. Como governo, FHC é outra coisa, tanto é que ele pediu para esquecermos tudo o que escreveu antes. Ele mesmo desconsidera suas ideias anteriores ao período em que assumiu o governo. Portanto, vamos separar o sociólogo do presidente, como por oportunismo faz o próprio FHC para justificar sua incoerência. A tática de cooptação de FHC não foi nesse momento da Marcha, quando ele estava acuado. Ele tentou nos cooptar quando colocou Francisco Graziano na presidência do Incra. Com este, foi só enrolação mesmo. Na audiência que tivemos após a Marcha, FHC deve ter pensado: "Com essa comissão, vou enrolar esses caipiras por dois anos", como aliás ele faz seguidamente. Tem comissão para a Light, comissão para a Petrobras, comissão para tudo. Quando ele só quer enrolar, cria uma comissão e se exime da responsabilidade. Enquanto a comissão não apresenta o relatório, não faz nada. É a mesma atitude que ele tomou em relação ao massacre de Eldorado dos Carajás (PA), em abril de 1996. Afirma que não pode fazer nada enquanto o Poder Judiciário não julgar.

Assim, a tática da comissão que ele propôs não foi a de cooptação; foi de confrontação mesmo. É a tática de nos enrolar e ganhar tempo para dissolver o problema. Repito: a tática de cooptação ele adotou de forma muito mais explícita quando colocou Francisco Graziano na presidência do Incra, que começou nos tratando bem, convidando a gente para conversar etc. É o método mais safado da burguesia, pois exige que tu abras mão da tua dignidade: tem de fingir, manter uma aparência falsa. O ministro da Reforma Agrária, Raul Jungmann, é especialista nisso, para se manter no cargo, no círculo do poder.

A REFORMA AGRÁRIA

BERNARDO: *Faça um comentário sobre a atual conjuntura da reforma agrária. De certa forma, ela não vem se tornando uma bênção para os latifundiários? Não está sendo muito mais uma reforma fundiária, pelo fato de o Incra ser um importante comprador de terras hoje, considerando que o preço da terra caiu bastante e que muitos latifundiários estão querendo se livrar dela?*
JOÃO PEDRO: Antes é preciso esclarecer os conceitos. Há muita confusão na imprensa, no debate acadêmico e mesmo entre os movimentos sociais, porque existem vários conceitos ao redor da questão agrária, e cada um usa como quer. Isso dificulta o entendimento sobre que tipo de reforma agrária se está falando.

O primeiro conceito de reforma agrária poderia ser caracterizado como aquela reforma agrária do tipo clássico, que foi feita pelas burguesias industriais no final do século 19 e até depois da Segunda Guerra Mundial. É a reforma agrária clássica, capitalista. Qual era seu principal objetivo: democratizar a propriedade da terra, distribuindo a terra para os camponeses e os transformando em pequenos produtores autônomos. Com isso se gera um enorme mercado interno produtor de mercadorias agrícolas para o mercado e ao mesmo tempo um enorme mercado consumidor por parte dos camponeses, que agora, com renda monetária, compram bens de origem industrial.

Essas reformas agrárias capitalistas clássicas tiveram três características fundamentais: a) foram feitas de forma massiva, ou seja, atingiram todas as grandes propriedades do país; b) em alguns lugares impuseram inclusive tamanho máximo da propriedade (caso da França, dos Estados Unidos, na lei de colonização e no Japão); c) foram rápidas, em um ou dois anos se realizaram.

Esse tipo de reforma agrária atacava unicamente a estrutura da propriedade da terra. Mas foi extremamente eficiente para aquela etapa do capitalismo, e em todos os países em que foi aplicada produziu um enorme efeito multiplicador, fomentando um acelerado processo de desenvolvimento industrial. Alguns estudiosos chegam a sustentar que foi esse tipo de reforma que possibilitou o surgimento das potências econômicas industriais.

BERNARDO: *O governo brasileiro defende essa reforma agrária?*
JOÃO PEDRO: De jeito nenhum. As elites brasileiras nunca quiseram realizar esse tipo de reforma agrária no Brasil, mesmo estritamente capitalista. Por uma razão óbvia: aqui no Brasil se implantou desde a colonização um capitalismo dependente, baseado na agricultura de exportação que se constituiu sobre a base da grande propriedade. Portanto, um capitalismo dependente, colonial, exportador não precisa fazer reforma agrária, dividir a terra para haver crescimento econômico.

Mas essa reforma clássica estava presente na proposta, por exemplo, dos norte-americanos na famosa reunião de Punta del Leste (Uruguai), quando apresentaram uma proposta de reforma agrária e se chegou a constituir um grupo de especialistas pan-americanos para tratar do tema. Também fez parte dessa visão a defesa de Celso Furtado, durante o governo Goulart. Celso Furtado defendia a necessidade de se fazer uma reforma agrária clássica, massiva e rápida, sobretudo no Nordeste, casada com a industrialização, para tirar o país do subdesenvolvimento. E chegou a fundar a Sudene para levar adiante esse objetivo, mas foi derrotado, e o latifúndio e o atraso continuam no Nordeste.

José Gomes da Silva, fundador da Abra e um dos maiores especialistas e pedagogos sobre a reforma agrária, defendia uma reforma agrária desse tipo. O Plano Nacional de Reforma Agrária (PNRA)[1], que ele elaborou durante o primeiro ano do governo da Nova República, que previa o assentamento de 1,4 milhão de famílias em apenas quatro anos, de certa forma reproduz essa visão clássica, de que era possível fazer uma grande reforma na estrutura da propriedade da terra, dentro do capitalismo, e desenvolver as forças produtivas do país.

BERNARDO: *E o segundo conceito de reforma agrária?*
JOÃO PEDRO: O segundo conceito se refere à confusão entre reforma agrária e política de assentamentos. Fazer assentamentos de famílias sem terra não significa necessariamente fazer reforma agrária. Nosso guru José Gomes da Silva não se cansava de repetir que a essência da reforma agrária é a distribuição da propriedade da terra, ou seja, a democratização da estrutura fundiária. Ele dizia que reforma agrária é sinônimo de desconcentração da propriedade da terra. Ora, fazer assentamento de algumas famílias, que podem ser milhares, não significa que se está afetando toda a estrutura da propriedade da terra, se ela não for massiva e rápida. Assim, o que existe no Brasil atualmente é uma política de assentamentos sociais, em que o governo federal e, às vezes, até governos estaduais, premidos pelos movimentos sociais, e para evitar que os conflitos de terra se transformem em conflitos políticos, resolvem conseguir algumas áreas, seja de terras públicas, seja negociadas, seja desapropriadas, e assentar as famílias. Essa é uma política de assistência social, apenas para se livrar do problema dos sem-terra, e não para resolver o problema da concentração da propriedade da terra no Brasil. Essa é a política adotada pelos governos

1. Infelizmente, o PNRA ficou apenas no papel. Previa o assentamento de 1,4 milhão de famílias no período de um governo (quatro anos). Estima-se que, nesse período, durante o governo Sarney, tenham sido assentadas em torno de 80 mil famílias.

federais no Brasil, em menor ou maior intensidade, desde os governos militares até hoje. É por isso que, apesar de os movimentos terem conquistado o assentamento de mais de 300 mil famílias, o processo de concentração da propriedade da terra, conforme revelou o Censo agropecuário de l995-1996, continua aumentando.

No entanto, na imprensa, na sociedade e às vezes até nas universidades, mas sobretudo no governo, essa política de assentamento é tratada como reforma agrária, e aí se gera confusão. A rigor, o governo FHC não tem uma política de reforma agrária, mas apenas de assentamentos sociais.

BERNARDO: *E qual seria o terceiro conceito de reforma agrária?*
JOÃO PEDRO: O terceiro conceito de reforma agrária utilizado no Brasil seria o que os movimentos sociais, a Contag, o MST, as entidades que estão no Fórum Nacional de Reforma Agrária[2], enfim, as forças progressistas utilizam: considerar que o Brasil enfrenta um grave problema agrário, que é a concentração da propriedade da terra, e que, portanto, para resolver esse problema, é necessário realizar um amplo programa de desapropriações de terra, de forma rápida, regionalizada, e distribuí-la a todas as famílias sem terra, que são 4,5 milhões em todo o Brasil.

BERNARDO: *A proposta do MST é tão simples assim?*
JOÃO PEDRO: Bem, como descrevi nos capítulos anteriores, de fato, durante esses anos todos, o MST foi aprimorando sua visão da realidade agrária brasileira. E, modestamente, ,acho que demos algumas contribuições tanto do ponto de vista teórico quanto político para o entendimento dessa questão. E, de certa forma, também nos diferenciamos do movimento sindical, que tem uma elaboração mais prática, baseada unicamente no direito de todo trabalhador ter terra, e das Igrejas, que obviamente se restringem apenas

2. Coletivo formado por todas as entidades nacionais que possuem algum vínculo com a questão agrária. Entre elas destacam-se: Contag, MST, CPT, Cimi, Inesc, Confederação das Associações dos Funcionários do Incra, Abra etc.

a uma concepção doutrinária, mesmo porque não têm a obrigação de apresentar programas de reforma agrária. A visão doutrinária das Igrejas é de que a terra é um dom de Deus, um bem da natureza e, portanto, deve estar a serviço de todos os homens, de todas as pessoas, e não apenas de meia dúzia de proprietários, latifundiários.

O que avançamos então como movimento, na concepção de nossa luta pela reforma agrária, é que partimos da nossa realidade e vimos que há dois problemas estruturais no meio rural brasileiro: a pobreza e a desigualdade social. Portanto, os objetivos estratégicos do MST são pela eliminação da pobreza e das desigualdades sociais. E, para alcançá-los, achamos que no meio rural é necessário começar pela distribuição da propriedade da terra. A democratização da terra cria condições para que as pessoas saiam da pobreza e se eliminem as desigualdades sociais. No entanto, por outro lado, o estágio do capitalismo no meio rural brasileiro é avançado, não somos uma economia atrasada. Isso significa que há uma enorme situação de concentração oligopólica de algumas empresas sobre o mercado agrícola, sobre as agroindústrias etc. Então, para alcançar os nossos objetivos, é preciso democratizar também o capital.

BERNARDO: *O que é democratizar o capital?*
JOÃO PEDRO: Significa criar condições para que o camponês assentado tenha acesso a capital. Capital, em resumo, significa meios de produção acumulados. Ou seja, tenham acesso a crédito subsidiado, para que possam não só desenvolver a produção agrícola, mas também consigam instalar suas próprias agroindústrias, seus mecanismos de acesso a mercado e a comercialização – enfim, que se democratize também a propriedade dos demais meios de produção e comercialização. Daí nossa proposta de cooperativas nas agroindústrias e na comercialização, porque é impossível o camponês individualmente ter sua agroindústria ou controlar o comércio.

E, finalmente, achamos que na nossa realidade a reforma agrária precisa vir casada com a democratização da educação. Não é possível viabilizar a democratização da terra e do capital com uma multidão de analfabetos. Por outro lado, na sociedade moderna, conhecimento, cultura, informação é poder. E é necessário que todos os camponeses tenham acesso a esses conhecimentos, por isso é necessário democratizar a educação.

Assim, resumidamente, dizemos que nossa reforma agrária é na verdade uma luta contra três cercas. A cerca do latifúndio, que é a mais fácil de derrubar, é só ocupar. A cerca do capital, já mais difícil, ter acesso, construir nossas agroindústrias; e a cerca da ignorância.

BERNARDO: *Mas essa proposta do MST de reforma agrária, que se diferencia bastante da política de assentamentos do governo e da reforma agrária clássica, é possível ser realizada no capitalismo?*

JOÃO PEDRO: Não se trata aqui de cair no simplismo de debater se é capitalista ou socialista, se o governo vai fazer ou não. O principal aqui é compreender se essa proposta representa uma solução verdadeira ou não para a pobreza e a desigualdade social que afligem milhões de brasileiros no meio rural. Por outro lado, não devemos imaginar soluções milagrosas, como se bastasse o nosso voluntarismo, ou a defesa de uma tese correta, para ela se realizar. Essa é a nossa proposta, mas a sua viabilidade vai depender fundamentalmente da correlação de forças existente na sociedade. E a correlação de forças vai se alterando com a capacidade dos trabalhadores de aumentarem cada vez mais sua capacidade de organização, de mobilização, para ir avançando. Portanto, nesse momento, o principal é saber para onde vamos, ou seja, quais são nossos objetivos estratégicos, e acumular forças rumo a esses objetivos. Sem se preocupar com rótulos, a tarefa principal é organizar os milhões de pobres do meio rural para que lutem pela solução de seus problemas.

BERNARDO: *Então o que temos agora é apenas uma política de assentamentos por parte do governo, e não uma reforma agrária...*
JOÃO PEDRO: Claro. Mas, por outro lado, é importante compreender que mesmo essa política de assentamentos do governo, que ainda não é reforma agrária, somente acontece em razão da organização dos trabalhadores. Se não houvesse ocupações, marchas, greves de fome etc. não teríamos nem isso.

BERNARDO: *Então, apesar do governo, essa política é uma conquista?*
JOÃO PEDRO: A política de assentamentos, em si, não é uma conquista. Ela é um resultado do confronto, da luta de classes. Mas os assentamentos, sim, são conquistas, verdadeiras áreas liberadas, conquistadas pelos trabalhadores. Por isso devemos aproveitar ao máximo, para que, embora sejam ainda parciais e enfrentem muitas dificuldades, essas áreas de assentamento sejam um acúmulo de forças para a continuidade da luta pela reforma agrária mais ampla. Por isso é importante os assentados continuarem organizados no MST. E o governo justamente procura transformar os assentados em pequenos agricultores autônomos para separá-los da organização, que significa ampliar forças para a reforma agrária.

BIBLIOGRAFIA SOBRE A REFORMA AGRÁRIA E O MST

AXELRUD, Isaac. *Reforma agrária*. São Paulo: Global, 1987.
BASTOS, Elide Rugai. *As Ligas Camponesas*. Petrópolis: Vozes, 1984.
BOGO, Ademar. *Lições da luta pela terra*. Memorial das Letras: Salvador, 1999.
CALDART, Roseli Salete. *Sem-terra com poesia*. Petrópolis: Vozes, 1987.
FORMANN, Shepard. *Camponeses: sua participação no Brasil*. Rio de Janeiro: Paz e Terra, 1979.
FOWERAKER, Joe. *A luta pela terra*. Rio de Janeiro: Zahar, 1982.
GÖRGEN, Frei Sérgio. *Os cristãos e a questão da terra*. São Paulo: FTD, 1987.
_____. *Educação em movimento*. Petrópolis: Vozes, 1997.
_____. *O massacre de Santa Elmira*. Petrópolis: Vozes, 1989.
_____ (coord.). *Uma foice longe da terra*. Petrópolis: Vozes, 1991.
_____ e STEDILE, João Pedro. *A luta pela terra no Brasil*. São Paulo: Scritta, 1993.
FERNANDES, Bernardo Mançano. *MST: formação e territorialização*. São Paulo: Hucitec, 1996.
_____. Gênese e desenvolvimento do MST. *Caderno de Formação*, n. 30. São Paulo: MST, 1998.
MARTINS, José de Souza. *Os camponeses e a política no Brasil*. Petrópolis: Vozes, 1981.
MEDEIROS, Leonilde. *Movimentos sociais no campo*. Fase, 1990.
MST. Programa de Reforma Agrária. *Caderno de Formação*, n. 23. São Paulo, MST, 1995.

OLIVEIRA, Ariovaldo U. *Geografia das lutas pela terra no Brasil*. São Paulo: Contexto, 1996.
ROMEIRO, Ademar *et alii* (orgs.). *Reforma agrária: produção, emprego e renda*. Relatório da FAO em debate. Petrópolis: Vozes, 1994.
SANTOS, Andrea Paula; RIBEIRO, Suzana Lopes Salgado e SEBE BOM MEIHY, José Carlos. *Vozes da Marcha pela Terra*. Loyola: São Paulo, 1998.
SILVA, José Gomes da. *Caindo por terra*. São Paulo: Busca Vida, 1987.
SILVA, José Graziano da. *Para entender o Plano Nacional de Reforma Agrária*. São Paulo: Brasiliense, 1985.
STEDILE, João Pedro (org.). *A questão agrária hoje*. Porto Alegre: Editora Universidade Federal do Rio Grande do Sul, 1994.
_____ (org.). *A reforma agrária e a luta do MST*. Vozes: Petrópolis, 1997.
_____ e GÖRGEN, Sérgio. *A luta pela terra no Brasil*. Scritta: São Paulo, 1993.
_____ e GÖRGEN, Sérgio (org.). *Assentamentos: a resposta econômica da reforma agrária*. Vozes: Petrópolis, 1991.
VEIGA, José Eli da. *A reforma agrária que virou suco*. Petrópolis: Vozes, 1990.
WAGNER, Carlos. *A saga de João sem terra*. Petrópolis: Vozes, 1988.

PERIÓDICOS

Reforma Agrária. Revista trimestral que reúne ensaios sobre o tema, publicada pela Associação Brasileira de Reforma Agrária (Abra).
Sem-Terra. Jornal mensal do Movimento dos Trabalhadores Rurais Sem Terra – MST.
Boletim da CPT – Boletim mensal da Comissão Pastoral da Terra.
Revista Sem Terra. Revista trimestral do Movimento dos Trabalhadores Rurais Sem Terra – MST.